人も仕事もお金も引き寄せる

すごい自己紹介

PERFECT SELF INTRODUCTION

[完全版]

自己紹介の専門家

横川裕之

HIROYUKI YOKOKAWA

日本実業出版社

はじめに――自己紹介は「自分」を紹介するものではありません

本書を手に取って開いていただき、ありがとうございます。

これも何かのご縁ですので、この「はじめに」だけでも最後まで読んでみてください。

もし、「はじめに」を最後まで読まれて得られるものが何もないと感じられたら、遠慮せず本を閉じてください。

さっそくですが、１つ質問があります。

「あなたは自己紹介が得意でしょうか？」

自己紹介はあなた自身の人間性や社会性、人格、これまでの生き方すべてが凝縮されています。そして、そのすべてがたった数秒、数十秒の自己紹介の中で、相手に見透かされてしまうのです。

もし、得意だと思われているなら、この本はあまりあなたのお役に立てないかもしれません。得意だと思われているということは、すでに聞き手から反応のある自己紹介ができているはずなので、ぜひそのまま、その自己紹介を続けてください。

逆に、「苦手だな……」「話せるけれど、得意とまでは言えないな……」と思われるのであれば、この「はじめに」の内容だけでもあなたのお役に立てる自信があります。

申し遅れました。横川裕之と申します。

自己紹介に関して2冊目の本を書かせていただいていますが、私自身は自己紹介が苦手です。自分の順番がまわってくるまで、他人のそれを一切聞かず、何を言おうかで頭がいっぱいいっぱい……。背筋は猫背、顔もこわばり、自己紹介が苦手なことを態度で示していました。

そして、いざ話しはじめたら早口で小声で何を言っているか、自分でもわからない。自分でわからないものを他人が理解してくれるはずもありません。人は、わからないものには不安を感じて近づきません。誰からも声をかけられない、そんな状況を脱却するため、さまざまな人の自己紹介を研究しました。

その研究成果をもとに、私は自分が主宰している「日本一のランチ会」という交流会などで、これまで3000人以上の方の自己紹介を即興で添削してきました。自己紹介に与えられている時間は同じなのに、大きな反応を得る人、逆に、まったく反応を得られない人、その違いをまとめ、4年前に『すごい自己紹介』（泰文堂）という本を上梓しました。

前作では、**反応を得られている人は「未来」を語っていて、一方、得られていない人は「自分」を語っている**――つまり「自己紹介とは自分を紹介するものではなく、未来を紹介するもの」という新しい概念を提示し、多くの方が実践され、次のような成果を手に入れました。

- **新学期初日に、自己紹介で生徒の心をわしづかみにした先生**
- **転職初日に、新しい職場に受け入れてもらえた男性サラリーマン**
- **35年間恋人がいなかったのに、恋人ができ、結婚した女性**
- **飛行機に乗ってまで通う患者さんが集まる整体院院長**
- **交流会での自己紹介で数千万円単位の資産運用を依頼された保険営業マン**
- **自己紹介を変えたら20万円の仕事を依頼された社労士**

私自身も実践していただいた方々の自己紹介の実績をキッカケにして、自己紹介の仕方を教えてほしいという依頼をいただき、企業や商工会などからの講演依頼を受けています。

自己紹介が得意という人はほとんどいないからこそ、チャンス

さて、冒頭で「あなたは自己紹介が得意でしょうか？」と質問しました。

自己紹介タイムの前に同じ質問をすると、ほとんど手が挙がりません。

まれに手を挙げる方もいらっしゃいますが、その方々は普段から、仕事で人前で話すことに慣れていたり、幼少の頃から人前に出て笑いを取ることに慣れていたり、まれに自己紹介の重要性に気づいて普段から自己紹介を磨かれていたりしています。

逆に言えば、自己紹介を得意という人がほぼいないからこそ、自己紹介の場というのは、あなたの有能さをアピールするチャンスでもあります。

どういうことか説明します。人は自分が苦手だと思うことをたやすくやってしまう人を「すごい」と思う傾向があります。それを心理学用語では、目立つ一部の特徴によって、全体的な印象が決まってしまう「ハロー効果」といいます。つまり、飛び抜けてよいところがある人を見ると、全体的に何でもできる人に思ってしまうのです。

アメリカの心理学者、エドワード・ソーンダイクが、軍隊で上司に部下の評価をさせる実験を行ったところ、その評価は部下の目立った特徴に強い相関関係が見られたそうです。


人は、目立った特徴によって人を評価する。つまり、あなたは目立った特徴をもとに、評

価の大部分を決められているのです。この効果は自己紹介にも当てはまります。自己紹介を苦手だと思っている人たちは、堂々と自己紹介ができる人たちを「すごい人」と認識してしまうのです。きっとあなたも堂々と自己紹介する人たちを見て、感心された経験があるはずです。

たとえば、私が主宰している「日本一のランチ会」での自己紹介タイムは、ひとり18秒や9秒など制限時間を短くしています。その制限時間がくると、途中であっても強制終了です。短くて厳しいと思われるかもしれません。でもだからこそ、時間内に自分の伝えたいことを盛り込んだ自己紹介ができると、拍手喝采を受けて、名刺交換タイムには、その方のまわりに人が集まります。

短く指定された時間内に、伝えたいことを的確に伝えられる人には、仕事ができる人、頭がいい人、というイメージを持ち、自然と信頼をしてしまいます。これもハロー効果によるものかもしれません。

自己紹介は新しい人と出会ったときに、必ず行われるものです。それにもかかわらず、その技術を磨いている人はほとんどいません。自己紹介の技術を磨く人が少ないからこそ、あなたがスキルを磨けば磨くほど、差別化ができ、一目置かれる存在になるのです。

自己紹介を変えれば、人生が変わる

「自己紹介で人生が変わる」――誇張だと思われるかもしれません。しかし、私自身もそうでしたし、実践してくださった方々も大きく人生が変わりました。「人生は誰と出会うかによって決まる」といわれます。あなたの自己紹介によって、あなたが引き寄せる人たちが変わってきます。その引き寄せる人たちが、あなたの人生を変えていってくれるのです。

本書は前作から4年が経ち、よりすぐに成果を出せるために全編を書き換え、自己紹介の基礎知識と技術を凝縮させました。

第1章では、ほぼ全員が見落としている「自己紹介の盲点」について書いています。この盲点を知っておくだけで、確実にスルーされずに聞いてもらえる自己紹介ができるようになります。

第2章では、あなたが気づいていないご自身の「長所や強み」を理解していただきます。

第3章では、引き寄せたい人を引き寄せる「自己紹介の型」について書いています。そんなことできるはずない……と思われるかもしれませんが、現にあなたは「本のタイトル」

という自己紹介に引き寄せられたからこそ、この部分を読まれています。

第4章では、前作の出版後、リクエストが一番多かった「SNSでの自己紹介」を説明します。

第5章では、「自己紹介の伝え方」について書いていますが、手っ取り早く成果を求めるのであれば、第5章だけを実践してください。自己紹介前に「ある動作」をするだけで、あなたにハロー効果がかかるとともに、緊張から解放された状態で自己紹介ができます。

本書では、ご自身の変化に気づいていただけるよう、体感ワークを多数紹介しているので、ぜひ、まわりの人たちと実践してみてください。ご自身が持っている不思議な能力に驚かれると思います。


ここまでお読みいただき、ありがとうございました。少しでも興味を持っていただけたのなら、新しい自己紹介とともに、自分も人生も変える第一歩を踏み出しましょう。

すごい自己紹介［完全版］ 目次

はじめに

第1章 自己紹介は話す前からはじまっている

第2章 「自分が持っているもの」に気づく

第3章 すごい自己紹介の作り方

第4章 SNSでの自己紹介の使い方

第5章 一目置かれる自己紹介の基本

カバーデザイン　井上新八
本文デザイン・DTP　浅井寛子
本文イラスト　遠山金次
佐藤克利
プロデュース&編集協力　貝瀬裕一（MXエンジニアリング）

第1章

自己紹介は話す前から
はじまっている

その自己紹介では、聞き手には届かない！

「自己紹介は自分が話す前からはじまっています」

「何を言っているんだ？」と、思われるかもしれませんが、多くの人がこの現実を見落としています。自己紹介が苦手な人というのは、「自分が話している間」だけを自己紹介と思っているのです。

自己紹介が苦手と思っている方々に悩みを聞くと、「何を伝えていいのかわからない」「伝えられる強みがない」「人前でうまく話せない」と言います。

では、「それらが解決できたら自己紹介で聞き手から反応をもらえるのか？」というと、そんなことはありません。たとえ話すことがキレイにまとまっていて、その話の中に自分の強みが盛り込まれたものを、人前でスラスラと話せたとしても、聞き手がこちらに聞く耳を持っていないのであれば、その自己紹介は残念ながら届きません。

「えっ⁉　全員が聞いてくれているものなんじゃないの？」と、話し手のときは思います。でも、自分が聞き手となったときのことを思い出してみてください。

何十人かが参加するセミナーや交流会で「全員の自己紹介を聞いているか？」と質問されて、自信を持って「ＹＥＳ」と答えられるでしょうか？

おそらく「ＮＯ」だと思うのです。人は無意識のうちに、自己紹介を聞きたい人、聞かなくてもいい人を分別しています。では、どんな分別をしているのでしょうか？

まとめ

いくら上手に話せるようになったとしても、聞き手がこちらに聞き耳を持ってくれないと、聞いてもらえない。

聞きたいか、聞きたくないかは無意識に分別されている

あなたが自己紹介を聞きたいと思う人は、どんな人でしょうか?

この質問をすると、いろいろな意見が出てくるのですが、大きく分類すると、次の3つになります。

1. 実績や知名度があり、主催者が推薦している人
2. 外見が優れている人
3. 話を聞いてくれる(くれそうな)人

1つずつ見ていきます。

1. 実績や知名度があり、主催者が推薦している人

主に交流会や飲み会での自己紹介になります。

「カラーバス効果」と心理学で呼ばれるものがあります。人は自分が見たいもの、普段から意識していること、自分ごととして捉えていることなどには自然に目がいくのです。逆を言うと、人は自分に関係のない情報は受け入れようとしません。

ある人が自己紹介をする直前に、主催者がその人を持ち上げる、それまで注目していなかったにもかかわらず、「主催者が持ち上げているんだから……」と、興味の対象へと一瞬にして変わるのです。

また、主催者からの持ち上げではなく、ほかの参加者から「あの人、こういう実績があるんですよ」などと言われるだけで興味の対象へと変わります。実際、その実績には興味がなかったとしても、他人が噂するような人なので、関心を持ちます。

実績や知名度のある人の自己紹介は、「名前」と「よろしくお願いします」で終わるなど、とてもシンプルなことが多いです。わざわざ実績を言うのもいやらしいと思っていますし、

自分が実績を言わなかったとしても、まわりの人たちが、勝手に他己紹介してくれます。実績のある方々はそれに慣れているので、自己紹介を大事だと思わない人も多いです。

実績や知名度は、すぐに上げられるものではありません。しかし、事前に主催者のお手伝いをしたり、参加者一覧が出ているなら、その方々と事前にＳＮＳでつながっておくなど、こちらの情報を聞き手に持ってもらう工夫ができます。

私が主催者としてやっている工夫は、参加者が話される前に、ハードルを上げる、というものです。あえてハードルを上げることによって、そのハードルをどうやって乗り越えるのか、聞き手はそこに注目するのです。仮に時間内で言い切れなかったとしても、聞き手がその挑戦した姿に共感すると、つながりを作りやすくなります。

2. 外見が優れている人

次は外見が優れている人です。この外見には、天性のもの、ファッション、姿勢・態度などが含まれます。天性のものやファッションについては、私は語れる立場ではありませんので、ここでは差し控えます。

取り上げたいのは、姿勢・態度です。話す直前だけではなく、話を聞いているときや食事をしているときにも、笑顔で姿勢がいい人は、自然と注目を集めます。

ここでいう「姿勢がいい」というのは、背すじがまっすぐ、胸が開いている状態です。この状態であれば、自然と背骨もピンっと立っています。

現代人は、スマートフォンやパソコンを使うことが多いので、首が前に出ていたり、猫背になっていたりする人が非常に多いです。だからこそ、背すじがまっすぐで胸が開いている、背骨がピンっと立っている状態をキープしている人は、それだけで注目を集めますし、印象にも残るのです。

3. 話を聞いてくれる（くれそうな）人

人は無意識に「この人は話を聞いてくれそうだな」と思う人に、注目します。なぜ話を聞いてくれそうな人の自己紹介を聞こうとするのか？

これには2つのパターンがあります。

1つは営業などをやっている人が、商品やサービスを売りたいと思っている相手を探している場合です。「この人だったら話を聞いてくれるかもしれない……」という人を見極めて、自己紹介をしたあと、会話のキッカケを作るための情報収集をするというものです。

もう1つは、自分の自己紹介を聞いてくれた場合です。

多くの人が集まる席で自己紹介をする場合、たいていの方は「自分の話を聞いてもらえるだろうか……」と不安になっています。それにもかかわらず、ほとんどの聞き手は自己紹介を聞いてくれていません。自己紹介が苦手な人は、自分の番が来るまで、何を話そうか考えていたり、緊張しないで話せるかどうか、自分のことばかりを心配しています。そのため、聞いているようで聞いていません。そして、自分の番が終わると、気が抜けて、これもまた、聞いているようで聞いていない状態になるのです。

そんな中できちんと聞いてくれている人がいたら、自然とその人のほうに顔が向きます。そして、その不安を埋めてくれたお返しとして、話を聞いてくれた人の自己紹介を聞きます。

「自分の自己紹介は聞いてほしい。でも、人の自己紹介は聞いていない」――こういう人がほとんどですから、あなたがすべきことは、「ほかの人の自己紹介を真剣に聞く」ことです。たとえうまく話せなくても、聞いていない人たちに比べて圧倒的な差をつけることができます。

「誰の自己紹介を聞くのか」というのは、無意識で分別しているものです。この3つ以外にもたくさんあると思います。あなた自身はどういう分別をしているのかをぜひ考えてみてください。

まとめ

人間は無意識のうちに、話を聞く人と聞かない人を、自分の関心の有無や外見の良し悪しなどで分別している。

自己紹介は話すものではない

自己紹介というのは、話すことばかりに焦点が当てられますが、発信者の先には受信者が必ずいるものです。つまり、**聞いてくれる人がいてこそ、自己紹介は成り立ちます。**

これは自己紹介に限らず、すべての会話においても当てはまることです。

「自分を理解してほしい」と思っている人はたくさんいます。でも、そんな自分を理解してくれる人、信頼してくれる人、受け入れてくれる人は、非常に少ないのが現実です。「自分を理解してほしい」という需要は大きいのに、「理解してくれる」という供給のバランスが崩れている状態です。

ですから、自己紹介の場面で、「自分が何を話していいかわからない」というのであれば、

「ほかの人の気持ちをわかろう」「相手を理解しよう」と、理解することに真剣に気持ちを向けたらいいのです。

自分のことを理解しようとしてくれる人は少ないので、それだけであなたは希少価値の高い存在になれます。希少価値の高い存在になったら、たとえ人前で話すのがたどたどしかったとしても、あなたの話を聞きたいという人が集まってくるのです。

まとめ

「自分を理解してほしい」という需要は大きいので、それを満たすようにすることであなたの話を聞きたい人が集まる。

相手の背景を想像しながら自己紹介を聞く

相手の自己紹介を聞くときに意識していただきたいのは、もちろん、その人の一言一句を漏らさず聞くというのも欠かせませんが、それ以上に大事なのが、その人の背景を想像して聞くことです。

「どんな苦労を経験してきたんだろうか……」
「どんな子どもの頃をすごしてきたんだろうか……」
「どんなお客様に囲まれているんだろうか……」

その背景にあるものを想像しながら聞くだけで、その人に意識を集中することができます。とても自分が何を話そうかなんて考える余裕はありません。

自分の想像が正しかったか答え合わせをする

自己紹介した人について、想像したことが正しいかどうかなんてわかりません。でも、わからないから、相手に興味を持つのです。

人は自ら問いを立てると、その問いを解決したいという習性を持っています。この場合であれば、想像したことが合っているのかどうかが気になります。その気になることを解決する一番の手段は、自己紹介が終わったあと、相手に直接話を聞きに行くことです。

「興味深い自己紹介でした。自己紹介でこうおっしゃっていましたけど、どんな経験からそこに至ったのか、ぜひ教えていただけませんか？」

「こうおっしゃっていました」の部分は、その人が話していたことを盛り込むのです。できたら、自己紹介の最中にはメモを残しておくといいでしょう。

たっぷりと自分の話ができると、そのお返しとして、こちらに対して質問をしてくれるはずなので、その質問に答えていけばいいのです。

気づかれたかもしれませんが、相手の話を聞くことで、相手が興味を持ってこちらの自己紹介を聞いてくれる準備が自然と整うのです。

もし、相手が話す一方で、こちらに対して興味を持たないようでしたら、その相手は自分にしか興味がない人なので、距離を置いたらいいでしょう。

また、こちらが話しかけられた場合には、その人の自己紹介をほめて、その背景を聞くようにしましょう。あなたの自己紹介に興味を持ってくれた相手です。その興味を持ってくれた相手が、「こちらの自己紹介の内容を覚えてくれていた……」と、相手はすぐにあなたのファンになります。

まとめ

相手の背景を想像して聞くことで相手への興味が深まり、相手も興味を持ってこちらの話を聞いてくれる。

自己紹介をする人が必ず持っていなければならないもの

意外と人の話を「聞く人が少ないから聞くことが大事、だというのはよくわかった。それでも、相手から興味を持ってもらえるような自己紹介をできるようになりたい」と、あなたは思われるかもしれません。

私自身も長い間、「なんとか聞いてほしい、聞いてほしい」と、人に聞かせるための自己紹介を研究してきましたので、その焦る気持ちはよくわかります。しかし、その焦っている段階で人前で話すと、聞き手はその焦りを敏感に嗅ぎ取るのでしょう。多くの場合、まったく響くことはありません。

相手の自己紹介を聞き、さらに相手の話を深く聞くことで、相手はあなたに興味を持ってくれるようになります。興味を持ってくれた相手の前で自己紹介ができるというのに、なぜ焦りが出てしまうのでしょうか？

それは「自信」がないからです。もし、自信があるのなら、焦りなんて出てきません。

自己紹介を聞いてもらうために、自信は必ず持っていなければなりません。

では、「どのようにして自信を持ったらいいのか？」となります。そのヒントを次項からお伝えします。

まとめ

「聞いてほしい」と焦る前に、まずは相手の話を深く聞くと、相手はあなたに興味を持ってくれる。

自信とは自分を信じることではない

自信とは自分を信じることではありません。漢字の成り立ちを見てください。「自」を「信じる」と書いて、自信です。自分とは「自」を「分ける」ですから、そもそも「自」の意味がわかっていなければ分けることもできません。

では、「自」とはどういう意味でしょうか？

「孫子」によって作られた武学体術を一子相伝で正統継承しているレノンリーさんによると、「自」とは、自然、そして宇宙全体情報のことを指していると言います。

つまり、自信とは自然、そして、宇宙全体の情報を信じることです。自分とは宇宙全体情報を分けたもの、自然を分けたもの、となりますし、自己とは、「宇宙全体情報の中の己（おのれ）」「自然の中の己（おのれ）」を定義したものとなります。

宇宙全体情報だとわかりづらい方もいらっしゃると思いますので、ここでは自然という意味で話を進めていきます。ここでは自信という言葉を「自然を信じる」と定義することにします。

自然を信じるということは、自分より大きなものを信じるということです。大きなものを信じられるようになると、「なるようにしかならない」と思えるので、焦りは自然と消えていきます。

とはいえ、漢字の成り立ちだけで信じられるようにはならないというかもしれませんので、事項で論理的にわかるお話をご紹介します。

まとめ

自信とは宇宙全体情報や自然（自分より大きなもの）を信じること。
自信が身につくと焦りは自然と消えていく。

人は必ずその人にしかない役割がある

これまで35万人以上の前で講演をされ、著書『涙の数だけ大きくなれる！』（フォレスト出版）が10万部を超えるなど、ベストセラー作家でもある、木下晴弘さんのお話です。木下さんとは時どき一緒にセミナーをさせていただいています。

現在の講演業につく前は、偏差値70以上の難関校への合格者を次々と輩出する塾で、生徒からの支持率が95パーセント以上というカリスマ数学講師でした。

しかし、講師として駆け出しの頃は、生徒が騒いで、いくら怒鳴っても、まったく話を聞いてくれずに途方に暮れていたそうです。生徒からの支持率が一定ライン以下になると、クビを切られる厳しい世界、「このままではクビになってしまう……」と思った木下さんは、考え得る限りのことをやりましたが、生徒からの反応はよくなるどころか、悪くなるばかりです。

「なんだよ、先生、まだいたのかよ。おかしいなあ、クビにしてくれるようにアンケートに書いたのになあ」

子どもたちとの関係は冷え切って、何をやってもうまくいかない――そんな木下さんを心配していたトップ講師の方が、木下さんにある人物を紹介してくれました。

人間は生きているのではなく、生かされている

当時、木下さんの職場は大阪で、ご紹介いただいた先生は東京の方でした。生徒からの支持率は低い状態ですから、給料も少なく、お金に余裕はなかったそうです。しかし、わらをもつかむ思いで、木下さんはその先生に会いに行かれました。そして、お会いしたとき、その先生は開口一番、木下さんにこう聞かれたそうです。

「木下くん、1つ聞いていいかね？　木下君は何のために働くのかね？」

（ちなみに、あなたは「何のために働くのか？」と言われたらどう答えますか？）

突然の質問に面食らった木下さん。お金のため、生活のため、いろいろな言葉が頭の中を駆けめぐったそうですが、どの答えを言っても恥ずかしい空気が流れると感じ、黙るしかなかったそうです。

黙っていると、その先生がこんなお話をはじめました。

「木下くんな、人は誰でもな、生まれてきたからには、何か役割を持って生まれてきているんだ。働くというのはな、その役割を果たすことなんだよ」

とはいえ、木下さんの専門は数学です。論理的に証明できないものに首を縦に振れません。

(生まれた人間すべてに役割があるなんて証明できるわけがない)

心の中でそう思った木下さんは、先生に思わず口ごたえをしました。

「先生、お言葉を返すようで大変失礼ですが、なぜひとりひとりには役割が必ずある、と言えるのですか？　できれば論理的に説明していただけますか？」

「論理的には説明できんな……。だが、木下くんが納得できる説明はできると思うよ」

この先生の回答には、正直、頭にきたそうです。ほとんどけんか腰になっている木下さんの雰囲気を察しながらも、その先生はイヤな顔1つせず、こう木下さんに質問をしました。

「木下くんはこの地球上にある自然に、ムダなものはあると思うか？」

「はぁ？　自然ですか？　自然は調和がとれていますから、ムダなものはないと思いますが……」

この回答の直後、一瞬の間を置いて、その先生はこう話したそうです。

「そうじゃな。自然は調和がとれていてムダなものはない。われわれ人間も、間違いなくその自然の一部じゃな。ということは、生きている人間にはムダな人間はひとりもいない。ムダな人間がいないということは、ひとりひとりに生まれてきた役割があるということじゃ」

この答えに木下さんは、ぐうの音も出なかったそうです。

この証明に反論するには、2つの証明が新たに必要になります。1つは、「自然にはムダなものが存在する」という証明。もう1つは、「そのムダなものにわれわれ人間が該当している」という証明です。

先生はさらに質問を投げかけてきました。

「木下くんは、5秒間心臓を止められるかね?」

「いや、無理です」

「では、今この瞬間に、2倍のスピードで心臓を動かせるかね?」

「無理です。心臓は自分の意志では動かせません」

「そうじゃな。心臓はわれわれの意志で動かせるものではない。つまり、われわれは生きているのではない。生かされておるんじゃ」

先生は絶句した木下さんにさらに質問をします。

「じゃあ、なぜ生かされていると思う?」

木下さんは何も答えられず、半ばパニック状態になっていたそうです。

「それはな、役割がまだ終わっていないからじゃよ。役割を終えたとき、人は静かにこの世を去っていくのじゃ」

木下さんと先生のやりとりのお話はここまでです。

もし、あの段階で木下さんが講師としての役割を終えるのであれば、トップ講師の方に心配されることはなく、そのまま解雇されていたでしょう。もし、解雇ギリギリの状態になっていなければ、このお話を聞いて、役割に目覚めて、その後トップ講師になることはなかったでしょう。何より、私たちがこの木下さんのお話を知ることはありませんでした。

そう考えると、すごいことだと思いませんか？　人間では想像もつかないような自然の大きな力が働き、**私たちひとりひとりが、それぞれの役割を果たすために自然に生かされているのです**。その自然の働きを信じること、それが自信なのだと私は思っています。

まとめ

生きている人間にはムダな人間はひとりもいない。
ひとりひとりに生まれてきた役割が必ず用意されている。

聞くことが自信の暗示になる

自信がない人ほど、自分の番が来るまで自己紹介を考えてしまったり、人の自己紹介を聞いて、「自分はもっとよいことを言わないといけない……」と焦ったり、よく見せようとしたり、「失敗したらどうしよう……」と思ったり、聞いている人の反応が気になったりしてしまいます。

行動は自分に対しての最大の暗示です。これらの行動をすればするほど、自分は自信がないというのを、さらに自分に言い聞かせていることになります。

一方、自信がある人は「人事を尽くして天命を待つ」で、あらかじめ自己紹介を準備しておいて、自分の順番以外のときは、人の自己紹介を聞くことに全力を尽くします。

反応があったらうれしい。もし、反応がなかったとしても、話す機会ができた、そして、反応がないということがわかったから改善できる――と、状況を前向きに捉えられるのです。もちろん、そうはいっても、自分の自己紹介がどんな反応をされるのかは誰しも気になるはずです。でも、それはほかの人たちも同じだからと、相手の立場を考えて、ほかの人たちの自己紹介を聞くことに全力を尽くせるのです。

まずは相手の欲求を満たすことからはじめる

『GIVE & TAKE：「与える人」こそ成功する時代』（アダム・グラント／三笠書房）によると、与える人はギバー（GIVER）、奪う人はテイカー（TAKER）と表現され、その「聞く」という行為1つで、ギバーの印象を与えているそうです。

人が一番興味を持っている存在、それは自分自身です。自分に興味を持ってもらいたいと思うからこそ、反応が気になったり、失敗しないかが心配になったりするわけです。興味を持ってもらいたいという欲求を満たしてくれた人が、どんな人なのか、よほどの自分勝手な人でなければ、必ず興味を持ってくれるはずです。

「与える者は与えられる」です。自分の自己紹介を聞いてほしいのであれば、まずは人の自己紹介を聞くこと。これを覚えておいてください。

もちろん、自己紹介のときだけ聞くというのではなく、普段の日常でも相手の話を聞く、という生活をされるといいでしょう。普段から人の話を聞くことに慣れていないのに、自己紹介のときだけは聞こうというのは非常に難しいです。結局、いざ自己紹介の場面になったら、自分が話すことだけで頭がいっぱいになって、聞くことを忘れてしまうでしょう。

先述したように、ほとんどの人が、「いかに自分の話を聞かせるか」しか考えていません。聞かせたい人は需要過多の一方で、聞く人のほうは圧倒的に供給不足です。供給不足の価値ある存在になることで、あなたは自己紹介を聞いてもらえる人になります。といっても、いざ自己紹介を話す番になったときに、自分が何者で、何をやっていて、何を目指しているのかをお伝えすることができなかったら、そのあとのつながりはできません。次の章では、自己紹介を作るための材料探しをしていきます。

まとめ

人間は自分に興味を持ってくれた人に興味を持つので、普段から他人の自己紹介や話はきちんと聞くことを心がける。

第 2 章

「自分が持っているもの」に気づく

材料がなければ料理は作れない

この章では、自己紹介の材料となる「自分に気づく」をテーマに話を進めていきます。「自己紹介で何を言ったらいいかわからない」という相談を多く受けますが、その原因は大きく2つに分かれます。

1つは、自分の強みがありすぎて、どう表現していいかわからないというもの。もう1つは、自分の強みがないので、何を言ったらいいかわからないというもの。前者のパターンが1割で、後者のパターンが9割です。あなたはどちらでしょうか?

自己紹介の材料は料理にたとえてお話することが多いのですが、いざ料理を作ろうと思って冷蔵庫を開けたら、材料が何も入っていなかった……というのでは、料理は作れませんよね。しかし、ほとんどの人は、この冷蔵庫が空っぽの状態で自己紹介のネタを作ろうとします。

ここでいう**材料とは、あなたの「強み」のことです**。

もちろん、「素材の味で勝負する（＝素の自分を伝える）」というのも1つの選択肢です。でも、その選択肢でうまくいかなかったから、いい自己紹介をしたいと思い、この本を手に取り、ここまで読んでくださっていると思います。

人は必ず、その人にしかない強みを持っています。のちほど紹介するワークに愚直に取り組んでいただければ、少なくとも64個は見つけることができます。64個もあれば、逆にどう表現していいのかがわからないという、1割の人の部類に入ります。

有史はじまって以来、同じ人生を歩んでいる人はひとりもいません。ひとりひとりには必ずその人にしかない役割があります。そして、その役割を果たすための強みを必ず持っているのです。

「強み」を見つける前に必要なもの

では、さっそく強みを発掘しましょう……と、いきたいところなのですが、心の準備ができていない状態で取り組んだところで、「これは本当に自分の強みなのかなあ……」と、強みに疑問を持った状態になってしまいます。すると、その強みを活かして作る自己紹介も疑問を含んだものになります。

その疑問を含んだ自己紹介を発表したところで、聞き手に響くはずがありません。そして、自分で疑問を感じているので、ほかの人の自己紹介を聞いているうちに不安になり、「こんなのでいいのだろうか……」、やっぱりやめておこう」と、せっかく作った自己紹介を話さなかったという人が何人もいました。

「なぜ、人から反応を得られる自己紹介を作ったのに、それを話せないのか?」

不思議に思って、話せなかった人に質問をして掘り下げていくと、みんな強みを発掘する時点で心の状態が整っていないということがわかりました。「心の状態が整っていない」というのは、「自分に強みがあると確信できていない」ということです。

これは、強みと確信できる心の状態を整えることを怠っていた私の失敗です。あなたには確信を持って強みを発掘するワークに取り組んでいただきたいので、まず心の状態から整えていきましょう。心の状態を整えるために、この章の途中に出てくるワークにもぜひ取り組んでください。

まとめ

自己紹介の材料「強み」は誰もが持っているが、「自分に強みがあると確信できていない」と話しても伝わらない。

パフォーマンス（成果）＝何を×どんな気持ちで

これから紹介するメソッドは、自らが指導した公立中学校の生徒を7年間で13回の日本一に導かれた、原田隆史先生から教えていただいたものです。

原田先生がユニクロの研修を行った際に、同社の販売マニュアルを見せていただいたそうです。

「みんなマニュアルに書かれているのと同じノウハウで仕事をしているのに、なぜ成果に差が出るのか？」

その疑問の答えを突き止めたところ、「どんな気持ちで取り組んでいるか」で大きな差が出ていたことがわかったそうです。

目の前のことを主体的に前向きに取り組んでいるのか、それとも、イヤイヤ受動的に取り組んでいるのかによって、パフォーマンス（成果）は大きく変わってくるのです。

では、主体的に取り組むのと、受動的に取り組むのとでは、自分が発揮できるパフォーマンスはどう違うのでしょうか？　そのことを体感できるワークを紹介しますので、ぜひまわりの人たちと試してみてください。

主体性のワーク

1. ペアになり、AさんとBさんを決めます。
2. BさんはAさんの両腕を上から抑えます。
3. Aさんは「私は腕を持た〝れ〟ている」と言ってから、Bさんの腕を持ち上げます。よほどの筋力差がない限り、持ち上がらないでしょう。
4. Aさんは「私は腕を持た〝せ〟ている」と言ってから、Bさんの腕を持ち上げます。
5. 一通り終えたら、立場を交代して2～4を行います。

3のときは持ち上がらなかった腕が、4では持ち上がります。「持たれ」と「持たせ」、「れ」と「せ」という、たった1文字の違いですが、その1文字の違いが、気持ちの違いを生み出します。この気持ちの違いが、カラダのパフォーマンスの違いに反映されます。パフォーマンスが高く発揮できる状態で前向きに取り組むので、成果につながるというわけです。

自己紹介をする場面で、主体的に行うのか、受動的に行うのか、捉え方次第によって、その自己紹介のパワーも変わってくるのです。

ここから先は、さらに〝主体的に〟読みながら、ワークにも取り組んでください。

まとめ

主体的に取り組むのと、受動的に取り組むのとでは、自分のパフォーマンスの発揮はまったく違ってくる。

あなたは経営者ですか？

突然ですが、あなたは経営者でしょうか？　もし、「経営者ではない」とお答えになった場合は、次の質問に進んでください。

「では、自分の人生を経営している人は誰でしょうか？」

きっと自分だとお答えになるはずです。最初の質問の「経営者ですか？」にＮＯと答えられた場合は、経営者という言葉の前に「会社やお店」という言葉を自動的に挿入したのではないかと思います。

しかし、その前提の言葉が自分の「人生」という言葉になったら、みんなが経営者になるのです。では、その自分の人生を会社にたとえます。会社は利益がなければ成り立ちません。利益を出すためには、商品を売らないといけません。
さらに質問です。

「あなたという人生の会社の商品は何ですか？」
「その会社の商品を開発する人は誰ですか？」
「その会社の商品を販売する人は誰ですか？」

どれも答えは自分自身になるはずです。つまり、私たちは生まれながらにして、経営者であり、商品であり、商品開発者であり、その商品を販売する人という、ひとり4役を担っているのです。

「この会社は誰が経営しているのか？」と聞かれて、「さあ？　誰でしたっけ？」という会社を信頼する人はいないでしょうし、「この会社の商品は何ですか？」と聞かれて、「さあ？　わかりません……」という会社から商品を買う人はいません。

その自分の人生という会社を黒字経営するのと赤字経営するのと、どちらがいいでしょうか？　当然、前者ですよね。

では、黒字にするためには、どうすればいいのか？　自分の強みを必要としてくれる人に買ってもらうことです。それが就職という形になるのか、個人事業で行うのか、実際に会社を作って行うのか、選択肢はさまざまですが、誰かに強みを買っていただかなければ、黒字にすることはできません。

まとめ

誰もが「自分の人生の経営者」であり、人生を黒字経営するためには、自分の強みを買ってもらうことが必要。

会社が必ず持っているもの

黒字になるということは、利益が出た結果です。その利益とは、社会に貢献するための手段であり、その結果の対価です。では、あなたはどんな社会貢献をしていくのか、何のために存在しているのか。どんな方向に進んでいくのか。社会的責任をどのように果たしていくのか、それを定義したものを「理念」や「志」といいます。

もし、あなたがどこかの会社に勤めているのであれば、その勤め先には、必ずその会社の理念が存在するはずです。自分たちが何のために存在しているのか。その目的を明確に定義しているものです。勤めているということは、雇用している側は、あなたをその目的を果たす一員として雇っているという言い方もできます。

それぞれの会社が存在目的を持っているように、自分の人生という会社の経営者であるなら、自分の人生という会社の存在目的を持っていなければいけません。

大切なことなので何度も言いますが、ひとりひとりには必ずその人にしかできない役割があります。その役割こそが、存在目的になります。強みはその存在目的を達成するために用いるものです。

本著では存在目的のことを「志(こころざし)」という言葉で表現していきます。志の語源は「心が指す方向」です。

その心がどこを向いているのかによって、自分が発揮できる能力も変わってきます。自分なのか、家族なのか、友人なのか、地域なのか、日本なのか、世界なのか、それとも子々孫々に続く世界なのか……それは自分自身で決めることができます。

本書を書いている時点の私の志は、「ひとりひとりが大切な人を幸せに導く世の中を創る」です。

自分を満たさないと他人を満たせない

「あなたの大切な人を5人挙げてください」と言われたら、どなたを思い浮かべますか？　ぜひ、５人の顔を思い浮かべてみてください。ご家族でしょうか？　友人でしょうか？　恩師でしょうか？　たくさんの顔が思い浮かんだと思います。

重ねて質問です。その５人の中に、あなたご自身は入っていたでしょうか？

入っていたら素晴らしいことです。これまで多くの方にこのワークをやっていただきましたが、自分自身が入っている人は、１割程度しかいませんでした。ときには、ワークをやった全員が「自分が入っていない」ということもありました。

自分が満たされて（幸せになって）いないのに、他人を満たそうというのは、そもそも無理な話です。自分というコップをまず満たし、そのコップからあふれ出たものでしか、他人を満たすことはできないからです。

では、あなたにとって幸せとは何なのか？

幸せという言葉の定義は、人それぞれ違ってきます。まずは、その幸せという言葉の定義を明確にすること。そして、明確にした幸せを実現できるように自分自身を導いていくのです。

私にとっての幸せの定義は「志を生きること」です。志とは自分の存在目的と定義しました。ひとりひとりが、この世に生を受けた目的が明確になり、その目的を果たすために日々の日常を生きていく。そして、お互いがお互いの志を実現させるために支え合える世の中を創ること。

この本を書かせていただいているのは、ここまで読んでくださったあなたが、ご自身の存在目的を明確にするのが私の役割だと思っています。

まとめ

ひとりひとりには必ず
その人にしかできない役割（存在目的）があり、
それを果たすために強みを使うのが人生。

夢VS志

志に似た言葉に、夢という言葉があります。どちらも未来のことを語っています。では、その違いは何かと聞かれると、あなたはどう答えるでしょうか？　いろいろな人にこの違いを聞いてきましたが、それぞれを私なりにひと言でまとめるとこうなります。

夢は個人的なものであり、志は社会的なものである。

たとえば、お医者さんになりたいという青年が2人いるとします。それぞれに「何のためにお医者さんになりたいのか？」と目的を聞きます。ひとりはこう言います。

「私は将来、ハワイに別荘を買って、そこに美女を囲う生活を実現させるために医

者になります。ぜひ応援してください」

これは個人的な話なので、「夢」に該当します。「この夢を応援したいか？」と言われたら、あなたはどうでしょうか？　おそらく、「どうぞ勝手に実践してください」と思いますよね。

もうひとりの青年はこう言います。

「私はこの世界から病気で苦しむ人をゼロにするために医者になります。ぜひ応援してください」

こちらは社会のためなので、「志」になります。そして、その志を応援したくなりませんか？

昔の人は、人が夢を持つと書いて、「儚（はかない）」と表現しました。「個人的な夢は、達成しても儚いだけ」ということをこの漢字は教えてくれています。

では、夢と志で、私たちの力がどう変わるのかを体感していただきます。

「夢VS志」体感ワーク

1. 立ち腕相撲を行います。

カラダの変化を確認するために、ワークをする前にお互いのカラダの状態を確認します。注意点としては、力まかせにやらないことです。力まかせの勝負をしてしまっては、カラダの状態の変化がわかりにくくなってしまいます。

手を組んだらゆっくりと「1、2、3」とお互い力を入れていきます。相手の力の状態を感じながら立ち腕相撲を行います。ある程度の力が入ってくると、勝ち負けが決まります。勝った人をAさん、負けた人をBさんとします。

2. 勝ったAさんは夢を言い、負けたBさんは志を言います。

Aさん：私の夢は、ハワイに別荘を買って、友達を呼ぶことです。

Bさん：私の志は、最高の「物語」を提供することで、世界中の人びとの幸

福に貢献することです。

ちなみに、Bさんの志は、スクウェア・エニックスさんの企業理念を拝借しております。

3. もう一度、立ち腕相撲を行います

1と同じようにゆっくりと立ち腕相撲を行います。Bさんは力を入れることも、手応えも感じることなく、簡単にAさんに勝つことができます。

2と3が終わりましたら、役割を交代してAさんが志を、Bさんが夢を口にしてから、立ち腕相撲を行います。すると、再びAさんの力が強くなります。

なぜ志のほうが強くなるのでしょうか？

それは、成し遂げた際のかかわった人数や範囲が大きくなればなるほど力が出るのというが、人間のDNAがもともと持っている機能だからです。私はこれを「ポテンシャルエネルギーが引き出された状態」と定義しています。

今回Bさんの志は、スクウェア・エニックスさんの企業理念を拝借しましたが、あなたご自身の志やあなたがお勤めしている会社の理念を使用されてもOKです。他人の志で、能力が解放されるのであれば、自分の志であれば、もっともっとスムーズに解放されます。

志を口に出すことで本来の力が発揮される

江戸時代、武士の子どもたちは、大人として認められる元服の儀で、立志、つまり、自分の志を立てていました。その元服の儀が、子どもと大人の境界線でした。つまり、江戸時代でいう大人とは志を立てて、その志に生きる人たちを指していたわけです。

一方で、現代に生きる私たちの多くは「志」という単語に触れることなく大人になってきました。私の理想は、初対面でよく出てくる質問が「何をされているんですか？」「どんなお仕事をされているんですか？」という質問ではなく、「どんな志をお持ちですか？」という質問が当たり前のように出てくる世の中にすることです。

自分の志を口に出すことで、ひとりひとりが本来持っている能力が解放されている状態になります。その状態で日々の仕事に取り組んでいったら、仕事に対する取り組み方も変わり、生産性も上がっていくでしょう。つまり、志を持つことは働き方改革にもつながります。

まとめ

個人的な夢ではなく、社会的な志を持ち、
それを口にすることで、その人本来の
ポテンシャルエネルギーが解放される。

あなたの過去は唯一無二の財産

もし、あなたが、「自分の過去に価値なんてない……」とか、「あの人と比べたら自分なんて……」などと思っているのであれば、この瞬間からぜひ捉え方を変えてください。

この本を手に取ったということは、自己紹介を苦手にしているからだと思います。自己紹介が苦手な人には、「自分にはほかの人に誇れる強みがない」と思っていたり、自分自身のことを好きでなかったりする点が共通します。好きではないものを積極的には紹介しようと思わないですよね？　自分自身のことが好きではない状態で自己紹介を求められても、主体的に取り組むことはできません。

主体的に取り組めないと、ポテンシャルエネルギーが解放されないので、人から反応してもらえる自己紹介にはならず、自己紹介に苦手意識を持ち、自己紹介ができない自分に嫌気が差すという悪循環に陥ってしまいます。

自分の過去をどう捉えるのか、自分の人生をどう捉えるのか、他人と比較するのかどうか、すべては自分で決めることができます。まずは他人との比較をやめることです。**あなたという存在は、人類の歴史がはじまって以来、ほかには存在していません**。同時に、あなたと同じ人生を歩んでいる人も、ほかには存在していません。つまり、あなたがこれまでの人生で経験してきたことすべてが、あなたしか持っていない唯一無二の財産なのです。

もし、あなたが今の自分、今の人生に満足していない、というのであれば、過去の自分とは違う選択をしなければなりません。そのためには、過去の自分の選択は、どんな基準でしていたのかを振り返るのです。

まとめ

積み上げてきたすべての経験が「価値」であり、唯一無二の「財産」。

唯一無二の人生の中で培ってきた2種類の才能

これからお伝えするのは、過去を振り返りながら自分の才能を発掘する方法です。これは、コンサルタントの小田真嘉さんから学ばせていただいたものです。

才能には2種類あり、1つを「地の才能」、もう1つを「天の才能」といいます。

地の才能とは、これまでの人生の中で、寝食を忘れるほど楽しかったこと、好きでたまらない、楽しくて仕方なかったことを積極的に追い求めている状態にあったことです。

もう一方の「天の才能」とは、過去のつらい経験から学んだことです。悩み、苦しみ続けたり、イヤな目、理不尽な目にあったり、身を裂かれるような思いをしたり、二度と思い出したくないような経験から得た学びです。

さっそく「地の才能」から発掘してみましょう。白紙の用紙やノート、そしてペンを用意してください。その白紙に次の質問をして自分が思いつくものを、手を止めずに書き続けてください。正解・不正解は一切ありませんし、解答が重なってもかまいません。

時間は1つの質問につき、3〜10分で大丈夫です。

「地の才能」発掘ワーク

1. **これまでの人生で好きだったこと、楽しかったこと、うれしかったこと、気持ちが高揚したことを挙げてください。**

2. **これまでの人生で、時間やお金やエネルギーを集中させたこと、少しでも時間があったらやっていたことを挙げてください。**

3. **ついつい無意識にやってしまうこと、空き時間ができたらやってしまうこと、まわりから「よくそんなことできるね」と言われることを挙げてください。**

4. **何時間話しても語り尽くせないことを挙げてください。**

1〜4を洗い出すと、解答が重なる項目がいくつか出てくると思います。その重なる項目が多かったものが、あなたの「地の才能」です。たとえば、私の場合は次のようになります。

1. 自己紹介を添削して喜んでもらえること

2. のべ3000人以上の自己紹介の添削

3. 無意識に電車などに貼り出されているキャッチコピーを見てしまう、即興での自己紹介の添削ができて「すごい」と言われる

4. 言葉が人に与える影響、自己紹介での人の見極め方

このように、「自己紹介」という言葉が4つの項目すべてに登場してきました。「自己紹介」について語ることは、あらためて私の1つの才能のようですね。

まとめ

「地の才能」を掘り起こすことで、これまで自分の経験から生み出された思いもよらなかった才能に気づくことができる。

昆布と才能の共通点

次は「天の才能」の発掘についてです。その前に小田真嘉さんが話していた、たとえ話を紹介します。

「『どうやったら話がうまく伝えられるようになりますか?』という相談をたくさん受けてきたのですが、私も伝えるのが上手になりたいと思って、研修を受けたり、本を読んだり、話がうまいと言われる人に実際に話を聞きに行ったりして、わかったことがあるんです。

それは、話がうまい人は、『話すのが伝わらない経験をたくさんしている人』だということです。伝わらない経験をたくさんしている人が、伝えるのが上手になって

いたんです。

伝わらない苦しさを味わうから、どうやったら伝わるかを考えます。伝わらないから工夫する。伝わらない苦しさを知らない人は、相手のことをまったく考えないから、伝わらない。伝わらない苦しさを経験することが大事なのです。

と、回答したそのあとに『なぜ、海の昆布は海の中でダシが出ないのか?』という話をします。『えっ、あの海の塩っ気は昆布のダシじゃないのですか?』という珍回答もありましたが、ちょっと考えてみてほしいのです。

昆布、しいたけ、煮干し、かつお節。旨味やダシを出すこれらの食品の共通点は、何でしょうか?

旨味やダシを出す食品の共通点は、太陽に当てて乾燥させて、干からびていることです。

海の昆布は干からびていないから、海の中に味が出ないのです。人間の持ち味も同じなのです。1回干からびた経験がある人は、恵まれた環境のときに味が出ます。

伝わらないもどかしさを味わうことによって、旨味が出てくるのです。

伝わらない苦しさを知り、伝わることの喜びを知ることができます。1回干された経験がある人だからこそ、持ち味が出て伝わっているのです。

自分らしくないことをたくさんやったことが、じつは自分らしさを見つけていく近道なのです。干からびて苦しんだ経験から学ぶことが、あなたの才能なのです」


「干からびた経験があるからこそ、それが才能になる」――この話をうかがった直後に私が思ったのは、自己紹介についてこうやって語れるのも同じだということです。

私も自己紹介が伝わらない経験があったからこそ、伝わる人の自己紹介を研究し、伝わるパターンを発掘することができました。

もし、何もせずに伝わっていたとしたら、自己紹介を研究することもなかったでしょうし、伝わらない人の気持ちもわからなかったでしょう。そして、こうやってあなたに自己紹介について伝えることにはなっていなかったはずです。

これまでの人生、楽しいことばかりではなかったと思います。思い出したくもないようなつらい経験もあったと思います。でも、そのつらい経験は、あなたと同じような経験をする人を救うために、先にあなたが経験するようにと、天の采配で与えられたものなのです。

ですから、このつらい経験からの学びを「天の才能」というのです。

天の才能を発掘する質問です。

「天の才能」発掘ワーク

1. **理不尽だと思った経験、人物はいませんか？「なぜ自分ばっかり」と言いたくなるような経験を挙げてみてください。**
2. **「自分にはまったく向いていない」と痛感した仕事は何でしょうか？**
3. **今まで悩んできたこと、苦しんできたことは何でしょうか？**
4. **1〜3の体験を通じて、ほかの人のお役に立てることは何でしょうか？**

「才能の発掘」とは、これまでの人生を受け入れることでもあります。残念ながら、現代を生きる私たちにはまだタイムマシーンはなく、過去に戻って人生をやり直すことはできません。過去の出来事を一切変えることができませんが、その出来事の捉え方はいくらでも変えることができます。

もし、可能であれば、2人1組など誰かと一緒に取り組むこともおすすめします。あなたの話を聞いてくれた相手が、あなたが気づいていなかった才能に気づかせてくれますし、また、逆にあなたが相手に自分の才能に気づかせてあげることもできます。

他人の才能は、自分の中にその才能のキッカケがなかったら見つけられません。気配り上手だと思ったら、自分の中に気配り上手というものがなかったら指摘できないのです。人の才能探しは自分の才能探し、人の長所探しは自分の長所探しになります。

まとめ

つらい経験は、自分と同じような経験をする人を救うために、先に自分が経験するようにと、天の采配で与えられたもの。

謙虚さがあなたの能力を抑えている

ここまで「地の才能」と「天の才能」という2つの才能を発掘しました。この才能は、あなたが世の中をよりよいもの、より面白いものにするために与えられたものです。

「世の中？　自分なんかが世の中をどうこうしようなんておこがましい……」と、謙虚なあなたはそう思われるかもしれません。

しかし、その謙虚さは誰に対するものなのでしょうか？

先述した「志のワーク」で、かかわる人数や範囲が大きくなればなるほど、力を出せるのが人間の細胞やDNAがもともと持っている機能だというのを体感していただきました。

また、「パフォーマンス＝何を×どんな気持ちで（メンタル）」でした。世の中をどのようによりよいものにしていくのか、どのようにより面白いものにしていくのか、主体的に大きな範囲を考えることが、あなたの志の実現にもつながっていくのです。

自分に与えられた役割をまっとうする

しかし、謙虚になればなるほど、あなたは自分の能力を自分で抑えてしまっているのです。何度もお伝えしますが、あなたという存在は、有史はじまって以来、ひとりとして同じ存在はいないのです。そして、自然にムダな存在がいないように、自然の一部である、私たちひとりひとりにもムダな存在はいません。ムダな存在がいないということは、ひとりひとりには、自分にしかできない役割が与えられています。

その役割とは、与えられた才能を通して世の中をよりよいもの、より面白いものにしていくことです。

多くの人は、世の中と自分を別物として捉えています。そうではなく、世の中の一部を私たちひとりひとりが担っているのです。世の中の一部を担っているということは、あなた自身が世の中ともいえますし、あなたが変わることは、世の中を変えることを意味しています。

一国の首相や大統領のように、世の中全体を変えるだけの力は持ち合わせていないかもしれません。しかし、あなたが変わることによって、あなたがかかわる人たちに影響を与え、その人たちも変わっていきます。その人たちのまわりにも、またかかわる人たちがいて、その変化の連鎖がつながっていって、やがては世の中全体が変わることにつながっていく――私はそう信じています。

世の中をよりよいものにする、より面白いものに変えると決意して、日々を生きること。私たちがこの世に生を与えられた役割を果たすため、生まれ持った能力を最大限発揮するために、絶対にやらなければいけないことなのです。

まとめ

自分に与えられた才能を通して世の中をよりよいもの、より面白いものにしていくことで自分の役割を果たそう。

志があなたの能力を解放する

では、あなたはどんな世の中にしていきたいでしょうか？
天の才能の発掘ワークを用いて、それを「志」に変えて表現してください。フォーマットは次のようになります。

「私の志は○○という世の中にすることです」
「私の志は○○という世の中を創ることです」

いくつか事例を載せておきます。

「私の志は、世界中のすべての人を貧困・差別・病気から解放し、徳が中心の世の中を創ることです」
「私の志は、すべての人が、自分が主人公の人生を送ることができる世の中を創ることです」
「私の志は、ひとりひとりが『生きててよかった』と心から思え、豊かに幸せに生きる世界を創ることです」
「私の志は、ひとりひとりがその人のよさを最大限に出せるようにお互いに助け合って、社会に貢献できる世の中を創ることです」
「私の志は、ひとりひとりが本質的な価値観に合った仕事をして、人の役に立ち、しっかり稼いで、精神的に豊かで美しい生活を送る世の中を創ることです」
「私の志は、誰でも自分のやりたいことを素直にやれる世の中を創ることです」
「私の志は、誰もが、いつでも、どこでも、何度でも、挑戦できる世の中を創ることです」
「私の志は、過去を認め、こだわりを捨て、変化を受け入れることで、みんなが夢をあきらめることなく、明るい未来を作ることができる世の中にすることです」
「私の志は、みんなが湧き上がるような楽しい気持ちになる世の中を創ることです」
「私の志は、ひとりひとりが人の痛みを理解し、寄り添い、明日への活力となる元気や勇気をまわりの人に与え伝えていく世の中にしていくことです」

志を決めたら、60ページで紹介した「夢 vs 志のワーク」を行ってみてください。志を言ったあとに力加減が変わっていれば、その志はあなたの能力を解放してくれています。

また、より精度の高い志を作りたいと思われたら、国際徳育協会が主催されている「志体術」に参加してみてください。志を作るだけではなく、志を言った直後の状態をカラダに染み込ませる体術などを学ぶことができます。

「志は一度決めたら変えてはいけないのか？」と、思われるかもしれませんが、そんなことはありません。これから出会う人、出会う情報によって、考え方も変わってくるので、違和感を覚えはじめたら、新しい志を立て直すことをおすすめしています。

まとめ

「天の才能」の発掘ワークをもとに自分の志を書き出してみることで、本来持っていた能力が解放される。

64個の強みを発掘する

先ほど、「天の才能」と「地の才能」の2つの才能を掘り下げましたが、ようやくここで、自己紹介の材料となる「強み」を発掘していきます。

このワークでは、原田隆史先生が提供されている「オープンウインドウ64」を活用していきます。あの大谷翔平選手が高校1年生のときに、ドラフトで8球団から1位指名を受けるための取り組みを洗い出したことで有名になったシートです。

原田先生のセミナーでは、このシートを使って自分の強みを発掘していきます。私もクライアントにグループワークで実践していただき、全員が20分で64個の強みを発掘することができました。

やり方は、まず取り組む前に「志」を口に出すことをおすすめします。そのうえで、次

▼大谷翔平が花巻東高校1年時に立てた目標達成表

体のケア	サプリメントを飲む	FSQ 90kg	インステップ改善	体幹強化	軸をぶらさない	角度をつける	上からボールをたたく	リストの強化
柔軟性	**体づくり**	RSQ 130kg	リリースポイントの安定	**コントロール**	不安をなくす	力まない	**キレ**	下半身主導
スタミナ	可動域	食事 夜7杯 朝3杯	下肢の強化	体を開かない	メンタルコントロールをする	ボールを前でリリース	回転数アップ	可動域
はっきりとした目標、目的をもつ	一喜一憂しない	頭は冷静に、心は熱く	**体づくり**	**コントロール**	**キレ**	軸でまわる	下肢の強化	体重増加
ピンチに強い	**メンタル**	雰囲気に流されない	**メンタル**	**ドラ1 8球団**	**スピード160km/h**	体幹強化	**スピード160km/h**	肩周りの強化
波をつくらない	勝利への執念	仲間を思いやる心	**人間性**	**運**	**変化球**	可動域	ライナーキャッチボール	ピッチングを増やす
感性	愛される人間	計画性	あいさつ	ゴミ拾い	部屋そうじ	カウントボールを増やす	フォーク完成	スライダーのキレ
おもいやり	**人間性**	感謝	道具を大切に使う	**運**	審判さんへの態度	遅く落差のあるカーブ	**変化球**	左打者への決め球
礼儀	信頼される人間	継続力	プラス思考	応援される人間になる	本を読む	ストレートと同じフォームで投げる	ストライクからボールに投げるコントロール	奥行きをイメージ

出典：『一流の達成力』（原田隆史、柴山健太郎／フォレスト出版）

の8つの項目について、それぞれ8つずつ枠を埋めていきます。「強み」という言葉を聞くと、「ほかの誰よりも優れたものを提示しないといけない」という思い込みを持っている人が多いですが、それは捨て去り、自分が強みだと思うものを書いてください。

※シートはこちらからダウンロードできます（http://pmlifect.com/ow64sugoi.pdf）

1. 資質

優しい、楽しい、明るいなど、「強みは何？」と言われて、よく出てくるものになります。思いつくもの、人から言われることが多いもの、これから身につけたいものなどを8つ埋めてください。

また、本書の購入特典として、自分本来の性格や思考、行動パターンを知ることができる「エニアグラム」の診断もご活用ください。

URLはこちらです。

https://hiroyuki.top/cyfons/cf/shoukai

2. 生まれ持った長所

生まれたときにすでに与えられていた長所を8つ埋めてください。たとえば、家族が多い、兄弟がいた、姉がいた、妹がいた、ひとりっ子だった、父親が経営者だった、一軒家に住んでいた、海外で生まれた、などです。

3. 経験・体験・資格

過去の経験、体験、資格を8つ埋めてください。たとえば、中学校時代に学級委員をやっていた、受験に合格した、メンタルトレーナーの資格を持っている、運転免許証を持っている、など、これまでの経験・体験・資格を書いてください。

4. 趣味・好きなこと

これまでの人生でやってきた趣味や好きなことを書いてください。

5. 比較から見つける

二項対立するものから選んでいきます。たとえば、仕事をする際には、ひとりで行うのがいいのか、集団で行うのがいいのか。抽象的に考えるのが好きか、具体的に考えるのが好きか。仕事はスピードを求めるのか、時間をかけてでも正確性を求めるのか、0→1がいいのか、できあがったものを改善していくのがいいのか。二項対立するものを8つ書いてください。

6. 人生で最高の出来事は？　出来事を生み出した原動力は？

これまでの人生を振り返ってみて、一番うれしかったこと、一番喜ばれたこと、一番輝いていた時期を思い出し、その出来事を生み出した原動力を書いてください。

7. 人生で最もつらかった出来事

数々のつらかったことを乗り越えてきて、今のあなたがいます。もし、乗り越えてこなかったら、今この本を読んでいません。では、どうやって乗り越えたのでしょうか？　この乗り越えるために使った長所が強みになります。

8. 他者から教えてもらう

自分の思う長所と他人が思う長所は違うものです。これを機会に、ぜひ他人から自分の長所を聞いてみてください。関係の深い人は内面部分の長所を教えてくれるかもしれず、関係の浅い人は外見などの見た目の長所を教えてくれるかもしれません。ぜひ８つと限らず、たくさんの人に聞いてみてください。

このワークを行う際には、制限時間を設けることをおすすめします。１つの項目について２～３分です。制限時間があることによって、脳にプレッシャーがかかり、思いつきやすくなります。

また、グループワークとして取り組むこともおすすめしています。他者から教えてもらうことがその場でできますし、「全員が全部埋まるまで次の項目に進まない」というルールを設けることによって、これもまた脳にプレッシャーがかかり、思いつきやすくなります。

ここまでで、自己紹介を作るための材料を洗い出すことができました。次の第3章では実際にこの材料を使って自己紹介を作成していきます。

まとめ

大谷翔平選手も使った「オープンウインドウ64」シートに、自分の強み（自己紹介の材料）を64個書き出そう。

第3章

すごい自己紹介の作り方

自己紹介のゴールは?

自己紹介の内容を作る前に必ず考えておかなければならないのは、「自己紹介のゴール」です。自己紹介のゴールとは、「自分が自己紹介したら、どういう状況になっているのか?」というイメージです。「自分の思い通りに聞き手を動かす」ともいえます。たとえば、

・話しかけてもらう
・自分の商品やサービスに興味を持ってもらう状態になる
・自己紹介に惹かれた人が名刺交換にやってくる
・同じ趣味や出身地の人とつながっている

このように、まずはゴールを決めてください。そのゴールから逆算して、自己紹介の内

容を作っていきます。

以前の私もそうでしたが、自己紹介を苦手にしている方は、「ああ、また反応が鈍いんだろうな……」「どうせ、みんな聴いてくれていないんだろうな……」というイメージばかり先行してしまっています。一方で、自己紹介が得意な方は、名刺交換の時間になったら、自分の前に名刺交換の行列ができていることをイメージします。

「思考は現実化する」といいますが、自己紹介が苦手な方は、イメージを現実化させるために、「どうせ自分が話したところで、何にも反応してもらえないし……」と、準備をせずに臨みます。

一方で、自己紹介が得意な方は、「聞いた人たちが自分のもとに名刺交換を求めてくるように」と逆算して、そのために必要な要素を盛り込んだ自己紹介を考えて臨みます。

事前に準備するだけで差をつけられる

もちろん、自己紹介のゴールは話す状況、たとえば、異業種交流会や合コンなどによって異なってきます。自己紹介が得意な方は、そのゴールを幾重にもシミュレーションしています。苦手な方はぶっつけ本番で失敗を繰り返して、さらに苦手にしていきます。

でも、安心してください。ほとんどの人が準備をせずに、ぶっつけ本番で臨んでいるのです。ですから、少しの準備をして臨むだけでも、ほかの人たちと大きな差をつけられます。もちろん、なかには何も準備をしていない自己紹介でも、もっと話を聞きたくなるような人もいます。でも、それは天性のものですし、それをうらやんだところで、手に入るものではありません。いさぎよくあきらめてください。

第1章、第2章でお伝えしてきたように、あなたは、あなたにしかない、あなたにしか伝えられない価値を持っているのです。その価値を聞き手にとって必要だと思ってもらえるように、アレンジしなければなりません。

そのアレンジの仕方を、この章ではお伝えしていきます。

まとめ

「自分が自己紹介したら、どういう状況になっているのか?」というゴールから逆算して自己紹介を作る。

自己紹介は「一点突破全面展開」

一点突破全面展開。この言葉は、古くは「孫子の兵法」にあり、現代では、ビジネスにおける「ランチェスター戦略」のキーワードとしても有名な言葉です。

一点に集中することによって、とんでもないパワーが出るのです。たとえば、指で手のひらを押しても少し痛いだけです。でも、針で手のひらを押したら、少し力を入れるだけで血が出てきます。それは、一点に力が集中しているからです。ほかにも、黒い紙に虫めがねで太陽光を一点に集中させると紙が燃えたり、道を歩いていると雑草が固いアスファルトを突き抜けていたりするのも同様です。その雑草をさわってみると、別にアスファルトを壊すような固さを持っているわけではありません。でも、現実に雑草はアスファルトを突き抜けて生えているのです。これも、一点集中の結果です。

自己紹介でも、この一点集中のパワーを利用します。

苦手な人に限って、あれもこれも伝えようとしますが、限られた時間で詰め込む必要はまったくありません。**「たった1つ、これだけは伝えることができたら悔いはない」というものを決めて伝えるのです。**

多くの人は、伝わるようにと時間いっぱいに複数の言いたいことを詰め込みがちです。だからこそ、この一点集中の自己紹介は際立つのです。

当然、聞いた人の中には、まったく響かないという人も出てきます。でも、面白いもので、「内容は響かなかったけれど、たった一点に集中するという、その姿勢や態度には惹かれた」という人が必ず現れるのです。

まとめ

「たった1つ、これだけは伝えることができたら悔いはない」と一点集中することで、自己紹介は際立つ。

自分を紹介してはいけない

これは、前作から私が提唱し続けている自己紹介の概念で、自己紹介は話し手であるあなたと、それを聞いてくれる聞き手がいて成り立つ、ということです。

あなたが聞き手の立場になったとき、どんな人に興味を持つでしょうか？

いろいろな意見が出てくると思いますが、それらをひと言でまとめると、「自分の未来を変えてくれる人」に集約されます。

自己紹介を聞いたあとに「面白そうな人だな」と思ったのであれば、今よりも面白い未来を提供してくれる人になるし、「楽しそうな人だな」と思ったのであれば、今よりも楽しい未来を提供してくれる人になります。

最大の関心事は「自分の未来がどうなるか？」

有名人になると、名前を言っただけで自己紹介が終わる人もいます。それでも、その人のまわりに人が集まるのは、「有名な人とつながっている自分」という未来を求めている人が多いからです。これと同じように、外見がいい人のまわりに人が集まるのは、「外見がいい人とつながっている自分」という未来を求めている人がいるからです。

人は何に対して一番興味を持っているのでしょうか？　それは「自分自身」です。もっというなら、「自分の未来」です。

聞き手は話し手に興味を持って話を聞いているのではなくて、「自分の未来がどうなるのか」に興味を持って聞いているのです。

ですから、自己紹介は自分を紹介するのではなく、相手の未来、そして、その未来に自分がどう貢献できるのかについて語らなければならないのです。

まとめ

人は「自分の未来を変えてくれる人」に最も興味を持つので、自己紹介ではそれを伝えるようにする。

「誰もあなたには興味を持っていない」という前提

自己紹介をするときは、「誰もあなたには興味を持っていない」――こう思ってください。興味を持っていないからこそ、まず、聞き手に興味を持ってもらえるように導かないといけません。聞き手が興味を持っているのは、聞き手自身の未来の変化です。あなたは聞き手にどんな未来を提供できるのか？　それを話さなければ、あなたに興味を持ってくれることはないのです。

少し頭の中で振り返っていただきたいのですが、なぜあなたはこの本を手に取って、ここまで読んでくださっているのでしょうか？

自己紹介に苦手意識を持っていて、「その苦手意識をなんとか克服したい、この本を読んだら、もしかしたら克服できるかも……」という未来を想像して、手に取ってくれたのではないでしょうか？

あるいは、「著者は聞いたこともない知らない名前だけど、信頼している人がすすめてくれていたので、いい本なんだなと思って購入した……」という人もいるでしょう。それも本を読むことで、新しい自分に出会えるかもしれないという未来があるから、手に取ってくださって、ここまで読んでいるはずです。


本のタイトルも、1つの自己紹介といえます。この本のタイトルは、あなたに手に取っていただくために、練りに練った自己紹介です。もし、この本のタイトルが「横川裕之」というタイトルで、私の人生を語ったものだったとしたら、まず手に取りませんよね（「徳川家康」のように人名だけで手に取ってもらえるような人物になることを目指していますが）。なぜなら、私の人生を読んだとしても、あなたの未来にどんな変化があるのか、さっぱりわからないからです。

わからないものに対して、人は行動しません。なかには「物珍しいものが好き」という人もいるので、そう言い切るのもどうかと思いますが、基本、わからないものに対しては、行動しないと思っておいたほうがいいです。

簡潔、明瞭に未来を語ることで好感を持たれる

ですから、自己紹介の最初にすべきは、「いかに相手の興味を惹くか」というところになります。相手は何に興味を持っているのでしょうか？　そう、相手自身の未来でしたよね。

ひょっとすると、こんな疑問を持たれているかもしれません。

「自己紹介は初対面の相手を知らない状態で行うわけだから、相手がどんな未来を望んでいるかなんて、わかるはずないですよね？」

この疑問は、私が受けた質問の中で最も多かったものになります。そう、相手は初対面でどんな未来を望んでいるかわかりません。だからこそ、自分が提供できる未来を語り、その未来に興味を持ってくれる人を見つけるのです。

「もし、誰もいなかったらどうしよう……」と、不安になるかもしれませんが、ほとんどの人が自己紹介の準備をしていないなかで、簡潔でわかりやすい自己紹介ができたら、そ

れだけで好感を持たれます。

では、どうやって簡潔、明瞭に未来を語ったらいいのか？　次の項目で、３つの「自己紹介フレーム」を紹介します。

まとめ

初対面の人たちの前であっても、「提供できる未来」を語り、それに興味を持ってくれる人を見つけるようにする。

武器として持っておきたい3つの「自己紹介フレーム」

3つの「自己紹介フレーム」とは、**「5秒自己紹介」「18秒自己紹介」「1分自己紹介」**です。この3つのフレームを持っておくと、あらゆる場面の自己紹介に対応できます。

「1分以上の自己紹介を求められたらどうしたらいいの？」と思うかもしれませんが、1分もそれ以上も、聞いている人にとっては「長い」と感じられます。むしろ聞き手は「早く終わってほしい」と思っていますので、そのニーズを満たすことになります。

「自由に話してください」と言われると、何を話したらいいのかわからなくなる人も多いでしょう。それは、なぜ自己紹介にフレームが必要なのかと密接にかかわっています。

たとえば、もし日本中のすべての道路にセンターラインがなかったらどうなるでしょうか？　正面衝突事故なども間違いなく増えるでしょう。

センターラインが引かれていないことで、車をうまく走らせることができないように、人は「フレーム」を持っているか持っていないかによって、話の出来も変わってきます。

同様に、話のうまい人というのは、頭の中にいくつものフレームを用意しています。その状況に応じたフレームを選択できるので、あわてずに話せるのです。

自己紹介にもそのフレームが存在します。このフレームを持っている人の自己紹介は、内容も整理されているので、聞き手に理解しやすいものになります。理解しやすいものになるので、聞き手の印象にも残るのです。

逆に言えば、これまで自己紹介が伝わりにくかったのは、自己紹介のフレームを持っていなかったからかもしれません。これから紹介するフレームに当てはめて、自己紹介を作ってみてください。

まとめ

「5秒自己紹介」「18秒自己紹介」「1分自己紹介」の3つのフレームを持てば、あらゆる場面で対応できる。

たった5秒で相手の心をつかむ「5秒自己紹介」

3つの自己紹介フレームの中で、一番使う頻度が高いのが「5秒自己紹介」です。

この「5秒自己紹介」は、ほかの2つの自己紹介の冒頭にも使えます。この冒頭のひと言で興味を惹かれなかったら、18秒でも1分でも、相手は話を聞いてくれません。

また、人数が多くて「ひと言で自己紹介をお願いします」と求められるようなときにも、この「5秒自己紹介」は使えます。

もう1つ、意外なところでこの「5秒自己紹介」は使えます。それは「他人が自分を紹介する」場合です。

自分で自分のことを紹介することすら難しいわけです。ましてや、他人のことを人にわかりやすく伝えるのは、もっと難しくなります。

どんなふうに他人に紹介してもらえるのかも、この「5秒自己紹介」を用いることで自分でコントロールしやすくなります。

次の5つを「5秒自己紹介」のフレームに当てはめてみてください。

①ベネフィット型自己紹介

「(名前)です。A(現状)をB(未来)にする◯◯(職業)をしています」

②ビジョン型自己紹介

「(名前)です。私のビジョン(志・夢)はB(未来)を作ることです」

③パフォーマンス型自己紹介

「(名前)です。(実績)」

④インフォメーション型自己紹介

「(名前)です。(趣味・出身地など)」

⑤ウィークネス型自己紹介

「(名前)です。(弱み)」

「自己紹介は未来を提示する」という話を思い出してください。自分で未来を語ってもいいですし、相手の頭の中に未来を描かせてもいいでしょう。①②は自分で未来を語り、③④⑤は相手の頭の中に未来を描かせます。

とにかく焦点は「未来」です。次項から作り方を説明していきます。

まとめ

「5秒自己紹介」を使って、話の冒頭で「自分で未来を語る」か「相手の頭の中に未来を描かせる」。

相手が求めている未来を提供する「ベネフィット型自己紹介」

「ベネフィット型」は、最もシンプルなパターンの自己紹介です。

自分にかかわると、「誰がどう変わるのか」「どんなお得なことがあるのか」という近未来を聞き手に提示します。自己紹介で近未来を提示することによって、聞いた人は頭の中で、「自分はどうなれるのか？」を勝手にイメージします。そのイメージが聞き手の望むものならば、あなたに吸い寄せられていきます。

この時点で「人」を引き寄せられたら、聞き手は、あなたの自己紹介を聞いて、自分がイメージした「得られる未来」をきっかけに、自分の現状を話してくれます。

次は実際にあった例です。

※自己紹介の次の（　）内は聞いた人が思うことです。

〈学校の先生〉

「山田です。あなたの『できない』を『できる』に変えて、志望校へ導く教師をしています」

（これまでの先生とは違うものを感じる……）

新任早々、この自己紹介で生徒の心をわしづかみにして、学年・クラス関係なく、相談者が殺到したというご報告をいただいています。

〈税理士〉

「清家です。経営者がわかりづらい決算書（現状）を、ブロックパズルでわかりやすく伝える（未来）税理士です」

（決算書、よくわかっていないから教えてほしいな……）

経営者としてお金の流れを把握することは必須ですが、「決算書を見てもよくわからない……」とお困りの経営者たちから、「教えてほしい」という要望をたくさん受けているそうです。

〈助産師〉

「園田です。初産のお母さんが抱く夫婦関係の不安（現状）を、安心に変える（未来）助

産師をしています」

（出産したら夫は子育てを手伝ってくれるのだろうか……）

「出産したら夫婦関係がどう変わるのか」――そんな誰にも話せない不安を受け止めてくれると、多くの口コミが生まれているそうです。

また次のように、現状を表現しない形でも、ベネフィットを伝えることができます。なぜなら、聞き手が自動的に頭の中で空白部分の現状を埋めてくれるからです。

〈脱毛サロンの女性経営者〉

「幸野です。脱毛の苦痛から女性を解放する、無痛脱毛（未来）を提供しています」

（えっ、痛くない脱毛ってあるの？　それが本当なら無痛がいいな……）

脱毛の痛みを経験していたり、脱毛はしたいけれども痛みがあるという話を聞いて恐れている女性に向けて語っています。ちなみに、この自己紹介をきっかけに、「子ども向けや男性向けの脱毛はないのか？」という問い合わせも受けているそうです。

〈副業コンサルタント〉

「深川です。月10万円の副収入を3か月以内で実現させています」

（えっ、3か月以内で！　もし10万円収入が増えたら、あれもこれも買えるな……）

この自己紹介の時点ではどんな方法かわかりませんが、その方法を聞きたくて、名刺交換の行列を作られました。

〈めまい専門整体師〉

「石川です。どんなめまいも、薬を使わず1週間で改善させる（未来）めまい専門の整体師です」

（1週間で薬も使わずに改善できるの？）

ふいにめまいに襲われて、物事に集中できない経験のある人は、思わず頼りたくなります。

〈保育士さん〉

「成田です。子どもたちが100歳まで歩ける足を育てる保育士をしています」

（100歳まで生きたとしても、寝たきり生活はイヤだから話を聞いてみよう）

今や「人生100歳時代」といわれていますが、長生きしたとしても歩けないのであれば、生きているのも苦しくなるでしょう。「100歳になっても歩ける足を育てるにはどうしたらいいのか」が気になった人からの問い合わせが多くなりました。

「ベネフィット型自己紹介」の作り方

では、このベネフィット型自己紹介をどう作っていくのか、そのコツをお伝えします。

次の3つの質問にご回答ください。注意点は、ノートでもスマホのメモ帳でもいいので、必ず文字にすることです。頭の中だけで言葉を考えてグルグルさせていても、いざ文字にする段階になると、どう表現していいのかがわからなくなります。それは考えられていないのと同じです。

とにかく思いついた言葉を、意味が通じなくてもいいので、次の質問に対する返答を3分間のうちにできるだけたくさん書き出してみてください。頭に考えさせるのではなく、手に考えさせるくらいのイメージでトライしてください。

1. あなたが役に立てる人は誰ですか？

➡たくさん書き出した人の中からひとり選んでください。

2. その選んだ人はどんな悩みや欲求を持っていますか？

⬇ベストなのは、1で挙げた人に直接聞くことです。もし、聞くことができないのであれば、想像でいいので思いつくところを書き出してください。書き出してみたものを眺めて、解決できたらその人が最も喜ぶものを1つ選んでください。

3. あなたがかかわると、その人はどうなれますか？

⬇2で選んだ悩みや欲求を解決したあと、その人がどうなれるのかを思いつく限り書き出してみてください。第2章のワークでの「強み」を見ながらでもOKです。

最後に1～3の回答をひと言にまとめます。

それぞれの質問について詳しく解説していきます。

1. あなたがお役に立てる人は誰ですか？

仕事もお金も、勝手に降って湧いてくるものではありません。仕事もお金も運んで来てくれるのは人です。ですから、まず決めるべきは「誰のお役に立ちたいか」というところです。

それも、たったひとりに絞ってください。心理的には、「ひとりでも多くの人に必要とされたい」と思うのですが、八方美人では誰の心にも響かないのです。紫綬褒章(しじゅほうしょう)を受章された小説家、北方謙三氏は、次のように語っています。

「たとえ本が何百万部売れようとも、たったひとりの読者に向けて小説を書くことは変わらない」

また、マガジンハウスの女性誌「ａｎａｎ」や「Ｈａｎａｋｏ」などを手がけられた編集者の木滑良久さんは、こう語っています。

「たったひとりの読者のためにこの雑誌は作っているんだ。でも、そのたったひとりの読者の向こうには百万人の読者がいるんだ」

自己紹介も同じです。たったひとり、あなたがお役に立ちたい人を決めてください。ポ

イントは、今直接かかわれる人で、大切にしたい人です。

そのひとりを絞るためにも、まずはあなたが思いつく限りの人を書き出しましょう。そして、その書き出した人の中からひとりを選んでください。

あなたの大切な人は誰でしょうか？　具体的な名前を挙げてください。どうしても出てこない場合、過去の自分でもＯＫです。

ここでは一例として、たったひとりを「自己紹介を苦手としているセミナー講師、京谷さん」とします。

2. その選んだ人はどんな悩みや欲求を持っていますか？

人が行動を起こす理由には、２つのパターンがあるといわれています。

1つは、苦痛を避けるため、つまり悩みを解決したいため。もう1つは、快楽を求めるため、つまり欲求を満たすためです。

現状、その人では解決できていない問題がある。そして、心の中では、それが解決された未来へ行きたいと思っているが、その方法がわからない。そんなときに、その現状と未来に橋をかけたヒーロー（ヒロイン）のような存在が現れる。それがあなたなのです。もし、あなたがビジネスをされているのであれば、あなたの商品やサービスを購入してくださったお客さまに、購入前の悩みや欲求、そして購入の決め手は何だったのかを聞いてみるといいでしょう。

直接聞けないのであれば、その相手になり切って、3分間でいいので、思いつくままに書き出してください。


この悩みや欲求は、具体的であればあるほど、自己紹介も伝わりやすくなります。

たとえば、先ほどたったひとりに絞った人を「自己紹介がうまく話せずに悩んでいるセミナー講師、京谷さん」としました。この人の悩みを具体的にしていきます。具体的とは、個々人の体験に落とし込むという意味合いで考えてみてください。

たとえば、「うまく話せないのは、とくにどんな場面での自己紹介に感じるのか？」という質問を投げかけます。すると、いろいろな答えが返ってくるでしょう。名刺交換時の自己紹介なのか、プレゼン前の自己紹介なのか、ビジネス交流会での自己紹介なのか、合コンでの自己紹介なのか、その場面場面によって、できるアドバイスも変わってきます。

悩みや欲求は、できるだけ細かく噛み砕いていくことです。細かく噛み砕いていくことで、相手が言葉にできていないような悩みや欲を、こちらが提示できることもあるからです。

あなたが悩みを提示したときに、「そうそう、それが言いたかったんだよ」と相手が言ってくれたら、相手はあなたが自分のことを理解してくれていると思って、信頼してくれます。

3. あなたがかかわるとその人はどうなれますか？

あなたは最も大切にしたい人の悩みを解決したり、欲を満たしたりすることができるヒーロー（ヒロイン）です。では、あなたはヒーロー（ヒロイン）として、その大切な人にどんな未来を提供することができますか？　これも3分間で書き出してみてください。

ポイントは2と同じく、とにかく具体化させることです。

たとえば、セミナーなどで自分のことは受講者から知られているけれど、こちらは相手を知らないという状況での自己紹介に悩む人に対して、こんな未来を提供するとしたらどうでしょうか？

「セミナー冒頭の自己紹介1つで、聞き手全員が前のめりになる方法を教えています」

相手は、セミナーを受講してくださる方が話を聞いてくれるかどうかに不安を持っている人です。実際にこの未来を提示したところ、「もっと詳しくお話を聞かせていただいてもよろしいですか？」と先方からご依頼をいただき、自己紹介のアドバイスをさせていただくという事例につながりました。

こうして1～3で出した回答をひと言でまとめ、相手が求めている未来を提供できることを伝える表現にしていきます。

まとめ

ベネフィット型自己紹介は、

「①あなたがお役に立てる人は誰ですか？」

「②その選んだ人はどんな悩みや欲求を持っていますか？」

「③あなたがかかわると、その人はどうなれますか？」を
書き出すことで作る。

あなたの未来に共感する人が集まる「ビジョン型自己紹介」

「ビジョン型」とは、あなたが実現させたい未来、あなたの志や夢を語る自己紹介です。語ることによって、その未来に共感してくれたり、興味を持ってくれたり、応援してくれる人が現れます。

〈カウンセラー〉

「宮岡です。私のビジョンは、カウンセラーという職業をなくすことです」

（なんで自分の仕事をなくしたいって言うのかな？）

〈水素サプリメント販売会社社長〉

「川畑です。私のビジョンは、国家医療費40兆円を15兆円に減らすことです」

（40兆円を15兆円に減らすって、すごい削減だな）

〈不動産屋さん〉

「馬込です。私のビジョンは、日本で一番お客さまとコミュニケーションをとる不動産屋になることです」

（なんでわざわざ「コミュニケーション」という言葉を出すのだろう？）

〈ピタゴラ屋さん〉

「玉置です。私のビジョンは世界一のピタゴラを作り、流山市の観光名物にすることです」

（なんでピタゴラなの？）

〈家事代行屋さん〉

「木村です。私のビジョンは、産後ママがカラダを休めるのが当たり前の世の中にすることです」

（私も休んでいるのが申しわけなく思ったよな……）

〈婚活男性〉
「パートナーには家事をさせない家庭を作りたい高橋です」
（なんで家事をさせない家庭を作りたいんだろう？）

自己紹介は相手と自分の両方に対する約束

自分が実現させたい未来や夢なので、何を語っても大丈夫です。その際には、第2章で紹介した志の立て方を参考にしてみてください。未来の提示は、あなたが「聞き手に宣言する約束」です。「ビジョン型」の自己紹介とは「聞き手への約束」ともいえます。

ここで1つ確認させてください。自己紹介を一番近くで、なおかつ一番多く聞く人は誰でしたか？

そう、自分自身です。自己紹介とは聞き手への約束であり、同時に、「聞き手にその未来を実現させる」という自分との約束でもあるのです。

聞き手とする約束もその帰結を考えれば、自分とする約束です。聞き手との約束を破ることは、「自分で自分を裏切ること」になります。

そうなると、自己紹介では軽々しいことは言えなくなります。そして、言ったことに対しての責任も発生することになります。

説得力のある自己紹介をされる方は、意識しているかしていないかはわかりませんが、自分の発言は、聞き手との、そして自分自身との約束だということを感覚的に理解しています。そして、「絶対に裏切らない」「達成させる」という覚悟が、言葉の節々から感じられ、説得力につながっているのです。

まとめ

自己紹介とは聞き手への約束であり、同時に、「聞き手にその未来を実現させる」という自分との約束でもある。

実績で信頼を築く「パフォーマンス型自己紹介」

実績を伝える「パフォーマンス型」の自己紹介は、聞き手から信頼を得られやすいです。さらに、聞き手の頭の中に、「自分もこうなれるんだ」という未来を描かせることもできます。「ナンバーワン」などの実績を出されると、確実に自分も変われると安心を与えられるのです。

また、有名な人とつながっている実績がほしい人もたくさんいます。これは有名人と一緒に写真に写っていることで、「自分がすごい人だと思われる」という未来を満たしているわけです。ただし、ただの自慢にしかならず、イタい人と認識されてしまう可能性があるので気をつけてください。

ここからは、パフォーマンス型自己紹介の例を紹介します。

〈整骨院経営者〉

「浅見です。口コミサイトで埼玉県でナンバーワンの評価をいただいた、妊婦専門の整骨院を経営しています」

(ナンバーワンなんだから、腕はいいんだろうな。でも、施術するのは妊婦さんだけなのかな?)

〈グループ企業の代表者〉

「國武です。29年継続黒字の12社の企業グループを経営しています」

(成功している秘訣を教えてほしい……)

〈本を出版している人〉

「石川です。サラリーマン作家として仕事術の本を出しています」

(本を出しているってすごい。どんな内容なのか知りたい……)

〈ラーメン屋さんの経営者〉

「榎本です。Yahoo!で埼玉県ナンバーワンで表彰された『つけ麺津気屋』を3店舗経営

している」

（Yahoo!で選ばれるくらいだから、きっとおいしいんだろうな……）

〈頭痛整体〉

「本屋（もとや）です。飛行機で通ってくるお客さまもいる頭痛専門の整体院を経営しています」

（飛行機で通ってくる!? どんなゴッドハンドの持ち主なんだろうか？）

〈セールスコピーライター〉

「汐口（しおぐち）です。1000万円の売上をもたらすニュースレターを書いています」

（うちのニュースレターは売上につながってないなあ……）

可能な限り数字や固有名詞を入れてください。さらに、常識ではあり得ないことや、案外に知られていない裏側を表現する自己紹介も、相手の興味を惹きつけます。「なぜそんなことを実現できるのか」と、普通ではなかなか知りえないような知識に興味を持つ人が出てきます。

まとめ

パフォーマンス型は、聞き手から信頼を得られ、頭の中に「自分もこうなれる」という未来を描かせることができる。

趣味や出身地のつながりを作る「インフォメーション型自己紹介」

自己紹介のゴールを、「同じ趣味や出身地のつながりを作る」としているのであれば、この「インフォメーション型自己紹介」をおすすめします。

人は、普段接することがない職業の人には興味を持つものです。役者や刑事、自衛官などであれば、自己紹介に職業をそのまま言うだけで人が集まっていました。

ただし、普通の会社員が普通に自分の情報を出したところで、相手は興味を持ちません。少し誇張するくらいでもいいので、表現内容を大きくしてみてください。

〈20代女性〉

「神林です。セミナーに毎回手作りスイーツを差し入れしています」

（よっぽど甘いのが好きなんだなぁ）

〈コンサルタント〉

「井口です。バヌアツ共和国に20代を捧げました」

（バヌアツ共和国ってどこ？　なんでそんな国に？）

〈飲食店〉

「山根です。所沢で地産地消のピザ屋を経営しています」

（所沢で地産地消でピザができるの？）

〈サラリーマン〉

「忠平です。平日は営業マン、休日は神社で神職をしています」

（神職って兼業可能なの？）

〈刑事〉

「藤井です。こう見えても刑事です」

（なんで刑事さんがここにいるの？）

〈自衛官〉
「稲葉です。自衛官してますが、春に辞めます」
（えっ⁉　なんで辞めちゃうの？）

この自己紹介で最も重要なのは、「驚きというゴール」です。何を打ち出すのかは、第2章で書き出したご自身の強みからピックアップできるはずです。

まとめ

自己紹介のゴールが「同じ趣味や出身地のつながりを作る」ということであれば、インフォメーション型自己紹介が最適。

弱みを見せて信頼をつかむ「ウィークネス型自己紹介」

弱みを見せられる人は、じつは強い人ともいえます。それほど度量があるということであり、そして、とくに初対面から弱みを出す人はなかなかいないからこそ、インパクトがあります。ただし、弱みを話す際に暗い顔をしていたり、下を向いて話していたりすると、単に「弱い人」としか認識されないので、笑顔で前向きに伝えることを忘れずに。

ここから事例を挙げていきます。

〈レストラン経営者〉

「越川です。借金1億円あります！」

（そんな借金があるのに、なんでこんなに明るいの？）

〈アラサー男性〉

「加藤です。今の悩みは彼女ができないことです」

（自己紹介で悩みを暴露しちゃうの？）

〈男性経営者〉

「田中です。昨日、置き引きにあって一文なしになりました」

（一文なしなのに、なんでここにいられるの？）

〈ママさん〉

「成田です。私が絵を描くと下手すぎて子どもが泣いちゃうんです」

（私も泣かれたことあるからわかるなぁ）

〈コンサルタント〉

「原山です。一見ウザいように思うでしょうが、ハマるとクセになります。知らんけど

……」

（ウザいと自分で言っちゃうの？）

〈女性起業家〉

「金子です。かつては『ネガティブが服を着て歩いている』と言われていました」

（とてもそうは見えないけれど……）

あえて弱みを見せることによって、聞き手も弱みを語ってくれる可能性が高くなります。人は、弱みやプライベートの話をする相手を「信頼できる」と思いやすくなります。「ウィークネス型」の自己紹介をしたあとのポイントは、自己紹介に興味を持ってもらったら、こちらも相手の弱みやプライベートを質問で聞き出すことです。話しかけてくるということは、相手も同じ弱みを持っている可能性が高いので、相手の話にも共感しやすいはずです。

しかし、ここでやりがちなのが、自分の弱みについてグチっぽく語ってしまうことです。自分の自己紹介は、相手に話をさせるためにあることを忘れないでください。

ここで取り上げたのが「5秒自己紹介」のフレームでした。何度も言いますが、まずはゴールを設定して、そのゴールから逆算して自己紹介を作ってください。

まとめ

ウィークネス型自己紹介は、初対面から弱みを出すことでインパクトがあるが、明るく話さないとネガティブな印象を与えるので注意。

人も仕事もお金も引き寄せる「18秒自己紹介」

私が一番得意とする自己紹介のフレームが、これから紹介する「18秒自己紹介」です。「5秒自己紹介」だけで終わると、なかには、「なんでそんなことが言えるの？ 証拠はあるの？」と、口にこそ出しませんが、聞き手の顔にそう書かれている場合もあります。

つまり、ひと言自己紹介だけだと、信頼されないことが多々あるということです。聞いてくれた人たちの信頼を勝ち得るために、「5秒自己紹介」の補足説明を行う必要があります。

あなたはこの「18秒」という数字を聞いて、短いと思いますか？ それとも長いと思いますか？ それとも中途半端だと感じますか？

過去に私が開催した「日本一のランチ会」の参加者にうかがうと、そのほとんどの人が「短いと感じる」とのことです。でも、テレビコマーシャルを思い浮かべてほしいのですが、そのほとんどが一枠15秒で作られています。

テレビコマーシャルのゴール（目的）は、そのコマーシャルによって変わってきます。テレビ番組の宣伝だったら、その番組に興味を持ってもらい、番組を見てもらうことです。車のコマーシャルだったら、自分が乗っているシーンを想像させて、その車に興味を持ってもらい、実物を見に販売店に足を運んでいただくことです。テレビコマーシャルはそのゴールを達成するために、15秒にすべてを詰め込んでいます。

たとえば、ラジオコマーシャルは声だけですが、同様に十数秒で目的を達成しなければなりません。その時間内で簡潔に表現しているのです。

「18秒自己紹介」とは、テレビコマーシャルくらいの時間で自己紹介をするわけですが「18秒もあれば十分に自分の伝えたいことを入れられる」ということでもあります。

この「18秒自己紹介」は、利用範囲が非常に広いです。「手短にお願いします」と言われたときにも、「1分程度で自己紹介をお願いします」、と言われたときにも使え、あなたの印象を強烈に残します。

なぜかというと、まずはその短さです。「1分でお願いします」と言われると、なぜか

1分間を使い切ろうと思いがちです。しかし、聞き手はそんな長い自己紹介は聞きたくないのです。

実際に聞き手の立場で考えてみてください。聞き手は初対面の人が数十人集まる場での1分の自己紹介の場合、2人や3人なら聞けるでしょうが、その数が増えていったら、「早く終わってほしい」と思うはずです。でも、それを素直に表に出す人ももちろんいません。「18秒自己紹介」は、その表に出さない欲求を満たしながら、言いたいことがしっかりと込められているので、聞いている人たちはあなたの自己紹介のわかりやすさに驚き、印象に残るのです。

まとめ

「18秒自己紹介」は、一見短く感じられるが、じつは十分に自分の伝えたいことを入れられるため、利用範囲はかなり広い。

「18秒自己紹介」は3つの文でまとめる

「18秒自己紹介」は3つの文でまとめてください。

1文目は、「5秒自己紹介」の内容を述べます。つまり、自分が提供できる「未来」について述べるのです。

2文目は、「その未来を提供してきた証明」を述べます。「提供してきた証明」というのは、これまでの実績のこと。つまり、過去について述べます。

3文目は、聞き手に「今すぐとってほしい行動」を述べます。「今すぐ」ですから、「現在」について述べます。

過去・現在・未来、すべての時間軸を盛り込んで話すのが「18秒自己紹介」の特徴です。いくつかクライアントの事例を挙げて説明していきます。

「益田政勝です。毎月の貯蓄額ゼロのご家庭を5万円貯蓄ができる家計へと変貌させ、65歳時の貯蓄額を1000万円以上増やすことができる（未来）家計改善のスペシャリストです。

元銀行支店長の私だからこそできる方法があります（過去）。

老後資金の貯蓄に興味ある方は名刺交換をお願いします（現在）」

益田さんはこの自己紹介を使うことによって、一般家庭の家計相談はもちろん、資産家から8桁を超える資産運用を受注されています。

未来の部分の表現も秀逸ですが、この自己紹介では、「元銀行支店長」という過去の経験がポイントです。「元銀行支店長」という言葉を聞くと、益田さんを信頼します。

益田さんの自己紹介を聞いた人は、頭の中で勝手に次のようなことを想像するそうです。

「この人は支店長に上り詰めるような出世レースを勝ち抜いた人なんだ、銀行には表に出てきていない裏の情報がたくさんあって、それをこの人は知っているんじゃないか？　この人だったらお金のことをわかりやすく教えてくれるんじゃないか？」

また、時制の順番については、バラバラでも大丈夫です。次は、『靴底の外側が減らなくなると体の不調も消える』（主婦の友社）という本の著者、新保泰秀さんの事例です。

「新保泰秀です。一生保証のオーダーメイド矯正インソール製作数、日本一の足首の専門家です（過去）。

人間の骨格の特性上、足首は必ず歪み、それがお身体の不調につながります。それが、一生使用できるインソールを靴に入れて歩くだけで、姿勢がよくなり、呼吸が深くなります（未来）。

足でお困りごとがありましたら、足首の専門家に何でもおっしゃってください（現在）」

この自己紹介に惹かれた方は、その場で足首の歪みを見てもらい、サロンでの施術も予約。そして、ほぼ100パーセントの確率でインソールの製作を依頼されているそうです。まさにゴールから逆算されて作られている自己紹介です。

「でも、実績がない場合はどうしたらいいのか？」という質問もよくいただきます。実績がない場合は、それを正直に出したらいいのです。次の事例で解説しましょう。

「金子文です。私は一緒に勉強している人たちから『ネガティブが服を着て歩いている』と揶揄（やゆ）されてきました。この場所に入ったとき、人間的にも知識的にも素晴らしい方々ばかりで正直ひるんでしまいました（過去）。

何の実績もない私ですけど、せっかくここに来れたのだから、みなさまのようなすごい方々と積極的につながって、学ばせていただき、新しい金子文となって帰ります（未来）。

ぜひ、名刺交換をお願いいたします（現在）」

「ウィークネス型」を使うと同時に、まわりの人たちをリスペクトしていることが伝わり

ます。このように、実績がないとしたら無理してでっちあげる必要はありません。むしろ、それを素直に告白して、教えを請う立場をアピールするほうが好感が持てるものです。

実際に、金子さんはたくさんの方からお声がけいただくようになり、参加したコミュニティに貢献を続けてきました。現在では、700名以上が在籍する日本キャッシュフロー協会で、2019年、協会を最も盛り上げた人として表彰を受けました。協会の有名人になり、同時に貢献した人として、「広島で集客といえば金子さん」という認識をされています。

ぜひ、いろいろなパターンを考え出して、この「18秒自己紹介」を実践してみてください。

まとめ

「18秒自己紹介」では、自分が提供できる「未来」と「提供してきた証明（実績＝過去）」、そして聞き手に「今すぐ（現在）とってほしい行動」を述べる。

小学生に学ぶ、夢やビジョンを語る「1分自己紹介」

1分以上の、長く自己紹介ができる機会がありましたら、ぜひ志やビジョンを語ってみてください。

相手の頭の中に、自分が語っていることを絵としてイメージしてもらえたら、確実に相手は共感し、応援してくれるでしょう。

「1分自己紹介」も「18秒自己紹介」と同じく、入れる項目としては、未来・過去・現在です。さらに、夢が実現したときのまわりの様子まで語るようにするのが違いです。

次は小学生の自己紹介で、『夢マップを使えば子どもは必ずやる気になる』（扶桑社）という本の著者、高岸実さんが携わっていた学習塾で行われたものです。

「ボクの夢はプロサッカー選手になることです（夢・ビジョン＝未来）。なぜ、この夢を選んだのか理由は2つあります。

1つは、サッカーをずっと幼稚園からやっていて、プレーしていてすごく楽しく、自分が好きなスポーツだからです。

もう1つは、プロサッカーの試合で、負けていてもあきらめない姿勢に惹かれたからです（その夢を持つようになったキッカケ＝過去）。

夢を実現するためには、中学、高校でサッカーをし、技術を身につけ、大学に入り、関西のJ1チームに入り、日本代表の選手になります！

そして外国の選手とコミュニケーションをとるために、国際語である英語が必要となるので、今、英語を習っています（夢・ビジョンに向かって取り組んでいること＝現在）。

夢を実現したら、ボクのプレーを見た子どもたちが〝夢〟や〝勇気〟を感じ、何事にもがんばろうと思ってもらえるような選手になります！（夢やビジョンが実現したときのまわりの様子＝未来）。ありがとうございました！」

「小学生がこの自己紹介を!?」と、驚かれるかもしれませんが、実際に、これを語ったのは小学生です。ただ単に、「夢はプロサッカー選手になること」で終わらせるのではなく、その夢を実現させるために何をしているのか、これから何をしていこうとするつもりなのか、そして、その夢が実現したら、まわりの人たちがどうなっているのか――そこまでを表現しています。

未来を語ったものとして有名な元メジャーリーガーのイチローさん、サッカーの本田圭佑選手、フィギュアスケートの羽生結弦選手などの作文も、同じパターンで語っています。未来を提示し、その未来に向かってやるべきこと、そして、その未来が実現したときのまわりの様子を明記しています。

未来を語っても、共感や応援を得られない3つの理由

未来を語っても、共感や応援を得られない。そんな悩みを相談されたことがあります。その理由は3つあります。

1つ目の理由は、そのために何をしているのか、何をやっていくのかという手段が明確

ではないことです。

未来は達成したら現実です。ですから、現実的な手段でしか実現ができませんし、現実的な手段を積み重ねていくことが、未来に近づくための最短距離です。

2つ目の理由は、その未来を目指すキッカケが表現されていないことです。先ほどの小学生の自己紹介では、

・幼稚園からプレーしていたこと
・プロサッカー選手の負けてもあきらめない姿勢に惹かれた

というキッカケが表現されています。

あなたも未来を掲げるに至ったキッカケとなった経験が必ずあるはずです。そして、そのキッカケは多くの場合、ご自身の失敗経験やつらい経験からきています。

たとえば、カウンセラーやセラピストなど、人の心にかかわる仕事をされている方だったら、「自分自身が心のことで苦しんだ」という経験がキッカケとなって、「心の問題で苦しむ人を救いたい」という未来を持つことが多いです。

人は成功体験だけの人には共感しません。失敗経験やつらい経験を踏まえたうえで、それを克服した人に共感するのです。その未来を持つようになったキッカケをぜひ出してください。

3つ目の理由は、「その未来が実現したら、聞き手にとってはどうなるのか？」がわからないことです。

聞き手は常に「自分にどう関係あるのか」という視点で聞いています。あなたの未来が聞き手にとって「手に入れたい」「そうなったらいいな」と思えたら、はじめて聞き手の共感を手に入れることができるのです。

まとめ

「1分自己紹介」では、未来・過去・現在を語ることに加えて、夢・志を盛り込み、さらに、夢・志が実現したときのまわりの様子まで語る。

川崎フロンターレの新入団選手から学ぶ、「キャッチフレーズ型自己紹介」

この章の最後に、転職初日や新クラス初日に使える「キャッチフレーズ型自己紹介」を、Jリーグ、川崎フロンターレの２０１９年新入団選手の事例からお伝えします。

この型名にある「キャッチフレーズ」とは、自らのなりたいセルフイメージや現状のイメージをひと言で言い表したものです。いわば、ニックネームにも近いです。

たとえば、プロレスラーであれば、「燃える闘魂」「世界の巨人」「燃える荒鷲」など、たくさんのキャッチフレーズがあります。

プロレスラーがその戦い方やイメージからキャッチフレーズをつけられたのに対して、これから紹介するフロンターレの新入団選手たちは、自らのなりたい選手イメージをキャッチフレーズで表現していました。

川崎のファンタジスタになります、原田虹輝です。
川崎の元気印と呼ばれる男になります、藤嶋栄介です。
川崎の大砲、宮代大聖です。

多くの入団会見での自己紹介が、「新入団の（選手名）です」「○○から移籍してきた（選手名）です」というパターンに対して、この自己紹介は非常に新鮮に感じられたと同時に、これからの選手生活に懸ける覚悟を感じました。

とくに原田選手と宮代選手は、当時高校を卒業する直前の18歳。18歳の高校生が1000人以上のサポーターの前で、自らがなりたいイメージを発表するのです。相当緊張したでしょうし、「ホントに言っていいのかな……」と、思ったことでしょう。しかし、こうしたキャッチフレーズを通して自分のなりたいイメージを発表することで、サポーターはそうなってくれると期待して、彼らを応援します。

新しい環境に飛び込むタイミングは、新しい自分に生まれ変わるチャンスでもあります。

ぜひ自分のキャッチフレーズを作って、自己紹介で宣言してみてください。宣言する前は怖いと思うでしょうが、「言ったからにはやるしかない」という気持ちになり、その気持ちで日々取り組んでいくことによって、自分をキャッチフレーズで宣言した理想の自分に近づけていくことができるのです。

まとめ

自分がなりたいセルフイメージを「キャッチフレーズ」として宣言することで、理想の自分に近づくことができる。

第4章

SNSでの
自己紹介の使い方

出会いのチャンスが格段に広がった

ツイッター、フェイスブック、インスタグラム、ＬＩＮＥ、ＹｏｕＴｕｂｅ、アメブロ、ｎｏｔｅ……たくさんのＳＮＳを活用して、コミュニケーションをとれるようになっています。長い間、対面で会っていなかったとしても、お互いの発信を見ているので、ひさびさに会ったのにそんな感じがまったくしない、ということも頻繁に起こります。

ＳＮＳの登場によって、それ以前には絶対に出会えなかったような方々と出会うことが可能になっています。たとえば、テレビの向こう側でしか見たことがなかった方々とやりとりすることもできます。

ＳＮＳは人間関係を広げることにも、深めることにも活用ができます（もちろん、逆も真なりで、使い方によって人間関係を狭めたり、浅くしたりすることもあります）。

リアルの場でつながってからSNSでもつながって、関係を深めていくというやり方もあれば、SNSでつながって親しくなってから、リアルで会って関係を深めていくというやり方もあります。

この章では、そんなSNSでの自己紹介をはじめとして、SNSを使った人間関係の広げ方、深め方について書いていきます。

目指すゴールは、いつもは離れているけれども、SNSを使って心の距離を縮めておき、「会おう!」と決めたら、すぐにでもリアルで会える人間関係作りです。

まとめ

これからはSNSを活用したり、リアルとSNSを連携させることで人間関係を広げたり、深めたりする時代。

真っ先にプロフィール欄を埋める

あなたがネットサーフィンをしていて、目に留まったＳＮＳの投稿があり、それを読んだら、学びがいっぱいあったとします。とくに投稿に深く感銘を受けたら、その相手がどんな人なのか、気になってその人のプロフィール欄を見ますよね。もし、そこが空欄だったとしたら、どうでしょうか？

何か不安を感じますし、積極的にかかわりたいとは思わないはずです。

でも逆に、その人が何者なのかわかるような自己紹介が入っていたらどうでしょうか？　あなたは安心感や信頼感を覚えて、「もっとその人のことを知ろう」と、その人の投稿を読むと思います。

あなたの投稿を見ようと思ってくれる人たちに、「この人は大丈夫だ」という安心感や信頼感を与えるためにも、**プロフィール欄は真っ先に埋めてください。**

プロフィール欄に記入する内容は、第3章で作成された自己紹介です。SNSによっては文字数制限がありますので、その文字数に合わせて調節してください。

自分を知ってもらうために記事やコメントを積極的に投稿する

ただし、どんなにプロフィール欄の自己紹介を充実させていたとしても、コメントを入れたり、投稿したりしなければ、読んでくれる人はほとんどいません。

では、もう1つ質問です。あなたが知らない人のプロフィール欄を読むとしたら、何がキッカケになるでしょうか？

まず、自分の投稿に積極的にコメントを入れていることですよね。さらにあるとすれば、何気なくネットサーフィンしていたときに、目に留まった投稿があって、「この投稿は誰が書いたんだろう？」と、気になってプロフィール欄を読むといった場合ではないでしょうか？

つまり、**プロフィール欄を読んでもらうためには、誰かの投稿に対してコメントを入れ**

ていくか、あなた自身が投稿する、つまり、発信するという行動が必要なのです。

まとめ

プロフィール欄をきちんと書くことで、読む人は安心し、あなたに対する信頼感が確立される。

あなたのすべての発信が自己紹介になっている

これはSNSだけに限りませんが、**あなたのすべての発信が自己紹介になっている**と思ってください。発信した内容はあなたの分身です。その1つ1つがあなたという人間を世界に表明しているのです。

たとえば、平日の日中に空港で撮った写真と一緒に、仕事に関することを投稿する人は、「私は飛行機を使ってあちこち飛びまわって仕事をしている人です」という自己紹介を同時に行っているといえるのです。

毎朝、日の出の写真とともに、ランニングしているということを投稿する人は、「私は早朝にランニングをしています」という自己紹介を行っているのです。

高級レストランで食事をしている写真をたくさんアップしている人は、「私はこういう高級店で食事をする人です」という自己紹介をしているのです。

休日になると家族と一緒に行動している記事を投稿している人は、「私は休日には家族サービスをしています」という自己紹介をしているのです。

これは反面教師にすべきですが、職場の上司・同僚など、ほかの人の悪口やグチを投稿している人は、「私は悪口やグチをほかの人に聞いてほしい人間です」という自己紹介をしていることになるのです。

あなたはそんな悪口やグチを発信するような人とつながりたいと思いますか？　まず思いませんよね。つまり、悪口やグチを発信すればするほど、新しいつながりの可能性を自ら断っていることになるのです。

コメントや「いいね！」も一種の自己紹介であり、価値観の表明である

また、SNSの投稿に対するコメントや「いいね！」ボタンも発信の1つの形です。

たとえば、ツイッターであれば、フォローしている人がリツイートした際に「○○さんがリツイート」という表記で、そのリツイートされた投稿が流れてきます。つまり、○○

さんはリツイートという形で、ほかの人の記事をシェアしているということをみんなに発信しているわけです。

自分の発信が誰かにシェアされることで、自分の知らない人とも新しい接点が生まれます。そのシェアされた記事を読んでくれた人が、「どんな経歴を持っている人なのか」と、あなたに興味を持って、プロフィール欄にアクセスしてくれます。そこに書かれたプロフィールに共感してくれて、あなたの発信をもっと知りたいと思ってくれたら、友達申請やフォロー申請がきます。

誰かの投稿にコメントを入れたら、それをキッカケに出会いの接点が生まれることもあるのです。

まとめ

SNSに投稿した記事、プロフィール欄の内容だけでなく、コメントや「いいね！」も情報発信（＝自己紹介）になる。

「面白い！」と感じた人は積極的に友達申請やフォローをする

フォローされるためには、まずは自分から積極的に友達申請やフォローをしていきましょう。

ＳＮＳ関連のコンサルティングをしている人は、よく「自分がフォローしている人数は少ないけれども、フォローされている人数は圧倒的に多い状態を目指しましょう」と言います。理想としてはそうなのですが、それは多くの人がフォローしたくなるほどすでに有名な人だからできることであって、普通の人にはとても一朝一夕にできることではありません。

先ほども書きましたが、「与える者は与えられる」です。まずは、積極的に自分からフォローしていきましょう。

つながる前に相手のプロフィール欄をきちんと読む

フォローや友達申請はワンクリックでできます。ただ、むやみやたらと申請をするのではなく、コメントを入れてくれた人に申請する、リアルでつながっている人に申請するなど、**自分の中である程度の基準を作っておくといいでしょう。**

ＳＮＳでの数字上は１０００人、１万人など、リアルでお会いできる人数以上の人とつながることができます。でも、どれだけ多くの人とつながったとしても、実際に日常的にやりとりするのは数十名が限界です。人数を増やすことで自分のすごさをアピールする人もいらっしゃいますが、実際にお会いしてみると「中身がない、ただ数字自慢の人だった」というパターンもけっこうあります。

また、申請前のひと手間として、相手の自己紹介であるプロフィール欄を読んでおきましょう。

とくに、フェイスブックではプロフィール欄に、「友達申請の際にはメッセージを送ってほしい」という一文を入れている人が多いので、その指示通りにメッセージを送ることをおすすめします。

その一文が書いてあるということは、裏返せば申請の際にメッセージを送らない人が多いということです。**だからこそ、メッセージを送るだけでも、「この人はきちんと自分のプロフィールを読んでくれる人」だと、相手に好印象を与えることができます。**

まとめ

むやみにつながりを求めるのではなく、自分なりの判断基準を持って、しかるべき人に丁寧にアプローチする。

承認お礼のメッセージに必ず入れたい4つのこと

友達申請やフォロー申請をして、承認していただいたら、ぜひお礼のメッセージを送ってください。

その承認してくださったお礼のメッセージで、次の4点を入れると相手の好反応を期待できます。

・簡潔な自己紹介（名前のみでもＯＫ）
・承認のお礼
・なぜ申請したいと思ったのか？
・返信不要の一文

次に事例を2つ紹介します。1つは、自分の成長を求めることを理由にした申請のメッセージ、もう1つは、趣味のつながりを求める申請のメッセージです。

〈**事例1**〉

横川と申します。

突然の友達申請にもかかわらずご承認いただき、ありがとうございます。

村田さんの記事にあった、心理的トラウマに対する捉え方が私の中になかったものでしたので、さらに深く学ばせていただきたいと思い、申請させていただきました。

最近、人間関係に疲れていたので、村田さんの記事に解決の糸口を見つけることができました。本当にありがとうございます。今後も更新を楽しみにしております。

なお、ご返信は不要です。ありがとうございます。

〈事例2〉


横川と申します。

突然の申請にご承認いただき、ありがとうございます。

フロンターレのハッシュタグで検索をかけて、たくさんの記事を眺めていたところ、高橋さんが選手を撮影された写真と、その記事が目に止まりました。読ませていただくと、非常に面白く、フロンターレに対しての熱い思いも感じられ、つながることができたら……と思い、申請させていただきました。今後も更新を楽しみにしております。

なお、ご返信は不要です。ありがとうございます。

メッセージのポイントは「相手をほめること」

なぜ申請したいと思ったのか、その理由を具体的に書けば書く自己紹介ほど、相手にとって強く印象に残ります。なぜなら、ほとんどの人が申請の理由まで書かないからです。これだけでほかの人との差別化が図れます。
また、どなたかのご紹介であるならば、つなげてくださったその方のお名前もメッセージに盛り込みましょう。

〈**事例3**〉

・陸田さんに「この人の投稿は全部見たほうがいい」とすすめられて、申請させていただきました。

・前田さんの投稿に中内さんがコメントされていた内容がとても面白いものだったので、中内さんからの情報を受け取りたいと思い、申請させていただきました。

「長文になればなるほどくどくなるでしょ……」と、思われる方もいるかもしれませんが、よほどひねくれている方でなければ、ほめられてイヤな気分になることはありません。また、私の経験上では、多少長くなっても投稿を読んでもらったことに対するお礼を言っていただけることが多いです。それをあと押ししてくれるがごとく、デール・カーネギーの名著『人を動かす』（創元社）には、次のように書いてあります。

自己の重要感というのは、食物や睡眠の欲求同様になかなか根強く、しかも、めったに満たされることがないものなのだ。

また、20世紀の偉大な心理学者のひとり、ジークムント・フロイトは、この自己の重要感を「偉くなりたい願望」と表現し、アメリカの第一流の哲学者であり、教育家でもあるジョン・デューイは、「重要人物たらんとする欲求」と表現しています。

なぜ申請をしたのか、その理由を相手に伝えることは、相手の「自己の重要感」を満たすことにもつながるのです。申請の理由が具体的であればあるほど伝わります。ただし、長く書きすぎると、気づいたら相手のことよりも自分のことばかりを書いてしまっていたということもあるので、送信する前には一度見直すことをおすすめします。

そして、**「返信不要」の一文を入れておくのは、相手の時間とエネルギーを奪わないためです。**メッセージを読んでいただくことに対して、時間とエネルギーを使っていただいているのに、さらに返信まで求めるというのは、おこがましいことだと私は考えています。たいていの場合、知らない人に返信するときは文面をじっくり考えるため、時間とエネルギーを使うことになります。相手の負担を軽減するためにも、ぜひ返信不要の一文を入れてください。

これもほとんどの方が行わないので、相手の印象に強く残るようです。さらに言えば、「返信不要」と書いているにもかかわらず、９割以上の方が律儀に返信してくださいます。

しかも、何をやっている人なのか、自己紹介を本文で直接伝えなかったとしても、あなたの「返信不要」という配慮に対して感じるものがあったら、相手はあなたのプロフィール欄や投稿を読んでくれます。

まとめ

友達申請をした理由を伝えつつ、相手をほめるようにすると、相手の自己重要感をくすぐり好反応を得られやすくなる。

最初のやりとりで長文の自己紹介や売り込みを送ってはいけない

じつは先ほどの事例では、自己紹介を名字だけと非常に簡潔にしてあります。「『自己紹介』の本なのだから、SNSでも自己紹介でアピールすることが大事ではないの?」と思われるかもしれませんが、メッセージの本文では書く必要はありません。むしろ、書くだけ迷惑になります。最初のメッセージのやりとりで、自己紹介を送ったところで、知らない人の自己紹介に興味はありませんし、売り込みとしか感じてくれません。

あらためて確認すると、**人は何に対して一番興味を持つのかというと、「自分自身」のことです**。正直、あなたのことなどどうでもいいのです。そんなどうでもいい存在から、いきなり自己紹介をされて売り込まれたとしても、その人から何かを買おうとか、何かをお願いしようとは思わないですよね?

実際に、フェイスブックやツイッターで私に送られてきたメッセージを反面教師として4つ挙げます。

〈事例1〉お店からのメッセージ

こんばんは。
突然の友達リクエストを
承諾していただき、ありがとうございます。

東京都○○区××商店街
沖縄家庭料理△△の□□と申します。
もし沖縄に興味があるようでしたら
ぜひ寄っていただきたいです。
よろしくお願いします。

これはフェイスブックで送られてきたメッセージです。
丁寧な文面にはなっていますが、誰に送っても差し支えのない文面なので、受け取った

人の心にはほとんど響かないでしょう。また、このメッセージから推察するに、相手が興味を持っているのは、私ではなく、私の財布でしょうか。ちなみにこれ以降、メッセージはありません。

〈事例2〉最初のメッセージからお仕事紹介

はじめまして。突然のフォロー失礼しました。
私はフェイスブックで仕事の紹介をしています。
副収入には興味ありますか?
よろしくお願いします。

これはツイッターでいただいたメッセージです。なぜツイッターでフェイスブックのお仕事を紹介しているのか? このメッセージで反応する人はいるのか? なぜ、自分に副収入の仕事の紹介をしたいと思ったのか? かえって興味本位で返信したくなりましたが、さすがに時間がもったいないのでそれはしませんでした。
こちらも、その後メッセージは1通も来ていません。

読んだ人をモヤモヤさせるメッセージ

では、次のパターンはいかがでしょうか?

〈事例3〉成功事例で釣ろうとしている

横川さん、はじめまして。
○○の△△と申します。
私は、専門家の方が労働集約型からオーナー型の働き方に移行するサポートをしています。

横川さんのフェイスブックを拝見させていただき、「もしかするとお役に立てるのではないか?」と思い、友達申請させていただきました。

といいますのも、私はこれまで8年間、専門家に特化して年商1000万円から年商11

億円のビジネスを運営、構築するサポートをしてきました。

その経験を活かし、労働集約型からオーナー型の働き方に移行するため無料オンライン講座を作成しました。

具体的には、今、働く時間が1日14時間以上でなかなか休みをとれない。

働く時間が売上の限界でこれ以上ビジネスとして成長させることができない。

こんな状態がいつまで続くのか将来への不安がある。

そのような専門家の方が、自分のやりたい仕事、得意な仕事にフォーカスして、働く時間が1日4時間〜8時間売上が安定して成長する。

そのようなオーナー型の働き方に移行する方法をお話しています
もしかしたら、横川さん、お役に立てるのでは？　と思ったので友達申請させていただきました。

もしよろしければ、一度、こちらのページから登録してご覧になってみてください。


フェイスブックでいただいた友達申請のメッセージです。

非常に丁寧な文章ですし、ご自身の自己紹介もビフォー／アフターの数字の実績まで入っていて、最後にどんな行動をとってほしいのかまで書いているので、非常に勉強されている方だと思います。

でも、お読みになって、何かモヤモヤしたものを感じませんでしたか？　このメッセージを知り合いの方たちに読んでもらったところ、みなさん一様にモヤモヤしたものを感じられていました。

そのモヤモヤの正体を言語化してみます。このメッセージも冒頭や文中に出てくる「横川さん」の部分を変えるだけで、ほかの人にも送ることのできる文面になっています。これも私という人間に興味があるわけではなく、こちらの財布の中身に興味があるだけと思えてしまうのです。このメッセージもそれ以降、1通もメッセージはありません。

「自分の友達の人数を増やしたい」だけのメッセージ

次のようなメッセージの友達申請もおすすめしません。

〈事例4〉共通のお友達がいるから

はじめまして、○○です。セルフイメージを高めるメンタルコーチをしています。
共通のお友達がいらっしゃったので、お友達申請をさせていただきました。
よろしくお願いいたします。

もしかしたら、あなたも「共通のお友達がいるので……」という理由の友達申請を受け取ったことがあるかもしれません。おそらく「共通の友達」に表示されたから、申請ボタンを押して、そのあとにメッセージを送ってくださったのだと思いますが、メッセージが逆効果になっています。

友達申請の理由は「共通の友達がいた」というだけでは心に響きません。正直、「自分の友達の人数を増やしたい」ということしか伝わらないのです。

ちなみに、このメッセージに対しては、友達申請のお礼を返信しました。その直後の返信は、次のひと言だけでした。

こんにちは、横川さん。早速にありがとうございます！

この４つの事例すべてに共通していて、多くの人が忘れがちなことがあります。次の項ではそれについて詳しく見ていきます。

まとめ

相手の気持ちをまったく考えていない長文の自己紹介やビジネスの売り込みをいきなり送りつけてはいけない。

画面の向こう側にはあなたと同じ人間がいる

SNSでのコミュニケーションは、文章を通して行われます。直接対面しなくてもいいので、時間をかけて自分が思ったことを伝えられる反面、先ほどの4つの事例にもあるように、相手のことを想像せずにメッセージを送ってしまう人もたくさんいます。

パソコンやスマホの画面の向こう側にいる人が一番興味があるのは、「自分自身」についてです。乱暴にいえば、会ったことのない人に対して興味なんて持たないのです。

では、人はなぜSNSで発信をしているのか？

それは、その発信を読んでほしいという思いが奥底にあり、突き詰めていけば、自分に興味を持ってほしいからです。

あなたが相手の投稿を読んでコメントを入れることで、相手のその思いを満たすことに

なり、その思いを受け止めてくれるあなたに対して、相手は好意を持ってくれます。

ただし、そのさじ加減も大事です。こちらがメッセージやコメントをしたからといって、必ずしも相手から反応があるわけではありません。返信は相手の時間とエネルギーを奪う行為だということも深く刻みつけてください。

もしも、送ったメッセージやコメントに返信がなかったとしても、返信を催促したり、さらにメッセージやコメントを送ったりするようなことはしないでください。

相手にも自分のペースがあります。「なんで返信くれないんですか!?」などというメッセージは、たとえ知人からでも、もらったらイヤですよね。自分がやられたらイヤなことは、相手にもやらないことです。

まとめ

相手の「投稿を読んでほしい」という気持ちを汲み取ったうえで、メッセージやコメントを発するように心がける。

嘘はカンタンにバレる

SNSで発信する情報は、たとえ公開範囲を限定していたとしても、誰もが見られるものだと思っておきましょう。

これは実話ですが、ある女性がハワイに行っている写真を投稿しました。

普段は「楽しんでくださいね」「うらやましいです」という、好意的なコメントがたくさんつくのですが、そのときは違いました。「なぜハワイにいるんですか?」「約束を破るなんて信じられない」と、非難のコメントが並んだのです。

この女性は、ハワイに行く直前に高額のセミナーを開催していて、参加者の方たちへのお礼として、参加者の方たちがそれぞれ主催するセミナーに参加するという約束をしていたのだそうです。しかし、高額セミナーが終わったあと、まったく連絡がとれずにいたと思ったら、ＳＮＳにハワイ旅行の写真が投稿されたわけです。

その投稿はマイナスコメントが並びすぎて、すぐに削除されましたが、その一件以来、彼女の信用はガタ落ちとなり、セミナーを開催しても人は集まらず、いつの間にかアカウントがなくなっていて、誰も連絡がとれなくなったそうです。

ＳＮＳで信頼を失う人の特徴

この女性に限らず、「仕事が入ってしまって……」と、予定をキャンセルした人が、本来会う予定の時間に別の飲み会に参加していたことをＳＮＳにアップしていた……などという事例はたくさん耳にしますし、私自身も何度も経験しています。

自分との予定を断って、ほかの予定を優先されてしまうのは自分に魅力がないことが原因なので、責めるべきは相手ではなく自分自身になるのですが、一度でもこういうことがあると、その方との距離は自然と離れてしまいます。

この節の冒頭にも書きましたが、ＳＮＳの投稿は誰もが見られるものです。誰が見ているかわかりません。

ある飲み会で、自分が大学で学んでいる先生のグチを言っていた人が、同じ日にその先生のSNSには「先生のお考えは素晴らしいです。一生ついていきます！」などというコメントを投稿したりしていることもありました。陰では悪口を言っているのに、本人の前ではおべっかを使う。「二枚舌で疲れないのかな……」と思ってしまうのと同時に、こういう人を信頼することはできません。

SNSは誰もが発信でき、誰もが見ることができ、日常生活に普及しているからこそ、正直に生きることがますます求められる時代になったともいえます。だからこそ、**正直に伝えることが、自分の信頼を高めていくことにつながっていくのです。**

まとめ

SNSが当たり前になった時代だからこそ、嘘をつかず、正直に生きることで信頼感を高めることが重要。

ＳＮＳに対する考え方は人それぞれ

私は「ＳＮＳは会えない時間を埋めるツール」だと捉えています。リアルでお目にかかったことがなかった人とも、お互いのＳＮＳの投稿を読んでいたら、考え方や価値観、そして日頃の行動がわかるので、いざお会いしたときに、まるで古くからの親友だったかのように出会いを喜ぶこともあります。

一度以上お会いしたお相手とは、次の再会までの時間を埋めるツールになります。

ただし、これは私の考え方であって、あなたは違う考え方をお持ちかもしれませんし、またほかの人には、その人独自の考え方を持っていることでしょう。

SNSで攻撃を受けたときの対処法

そもそも人はひとりひとり生まれた場所も育ってきた環境も違いますから、考え方も人それぞれです。

それにもかかわらず、自分と違う意見を見つけると、攻撃してくる人も残念ながら現れます。もし、そういう人に絡まれることがあったら、

この人にはこの人の考え方があって、自分と相容れないんだ。どうかこの人と考え方が合う人と出会えますように……

と、祈りながら、その攻撃してくる人をブロックすることをおすすめします。

強靭なメンタルを持っている人であれば、その人との会話を楽しむこともできるのでしょうが、よほど鍛えられていないと、攻撃してくる人を相手にしているだけで、非常に疲れてしまい、SNSを楽しむことができなくなります。

よほど批判的な内容の発信でなければ、他人からの攻撃を受けることはありません。

もし、攻撃を受けるようなことがあったら、自分の発信内容が誰かを批判しているものになっていないか、誰かを攻撃しているものになっていないかを、ぜひ見直してみてください。

まとめ

考えが異なる人から攻撃・批判されたら、反論したりせずに、すみやかにブロックして心を乱されないようにする。

第5章

一目置かれる
自己紹介の基本

話す以前に見た目や雰囲気で決まってしまう

「何を話すか、よりも、誰が話すか」ということが、昨今とくにいわれています。

前作が世に出た2016年頃は、「誰が」の部分はそう重視されておらず、話す内容によって、聞き手の反応は大方決まっていました。しかし、最近では話し手が話しはじめる前に、聞き手はこの人の話を聞くかどうかを決めています。

つまり、**見た目をはじめ、印象や雰囲気で聞くかどうかを決めているのです。**

社員採用の面接の場に立ち会う社長や採用担当の方に「採用のポイント」をうかがいましたが、ほぼ部屋に入ってきた瞬間の見た目や雰囲気で決めてしまっていて、「面接はその直感が正しいのかどうかを確認するためのものになる」とおっしゃっていました。

もちろん、見た目や雰囲気が関係ない場合もあります。

たとえば、自分が交流会などのゲストとして参加していたり、主催者から紹介されている場合です。その場合は「どんな人なのか？」「どんな話をするのか？」と、最初から注目を集めた状態で自己紹介を話すことができます。

しかし、そんな特別な状況で自己紹介ができる立場が多いなら、自己紹介に悩んで、この本を手に取ることもないはずですし、ここまでも読んでいないでしょう。

ここからは、あなたのことをまったく知らない人の前で自己紹介をする、というシーンを想定してお話を進めていきます。

まとめ

今は「何を話すか」ではなく、「誰が話すか」＝見た目と雰囲気で聞かれる／聞かれないが決まる時代。

姿勢と笑顔が雰囲気を作る

第1章で触れましたが、自己紹介は話す段階からはじまるのではなく、話すときの姿勢、人の話を聞いているときの姿勢など、他人に見せているもの、すべてが自己紹介だと思ってください。

見た目や雰囲気は、姿勢と笑顔でほぼ決まります。姿勢という言葉は、「姿の勢い」と書きます。つまり、あなたの姿勢は無意識にあなたの勢いを表現しています。

姿勢がいい人に対して、あなたはどんなイメージを持つでしょうか？ 逆に、姿勢が悪い人にどんなイメージを持つでしょうか？ 不特定多数の方々にアンケートをとったところ、次のような意見が出ました。

〈姿勢がいい人に対して持つイメージ〉

・自信があり、行動できそう
・素敵
・誠実そう
・仕事ができそう
・人当たりがよい
・責任感が強い
・美意識が高い
・礼儀正しい
・清々しく清潔感があり、周囲の空気が凛としている
・凛々しい
・健康的

〈姿勢が悪い人に対して持つイメージ〉

・自信がなさそう
・内向的
・不満が多そう
・だらしないかも？
・要領が悪そう
・不器用そう
・近寄りにくい
・疲れている
・生命力がない
・おどおどしてそう
・声が小さそう
・どこか体が悪そう

姿勢1つで、話す前からこうしたイメージを相手に与えてしまうのです。

情報がまったくない場合は、人はその見た目で判断し、その判断したイメージで人の話を聞くのです。

もし、見た目で好意的なイメージを持ってもらえれば、話す内容も好意的に受け取ってくれます。一方で、見た目で否定的なイメージを持たれてしまうと、話す内容も否定的に受け取られてしまうのです。こんな意見もありました。

「人の話を聞いているときには姿勢の悪い人が、いざ自分が話す番になったときに無理矢理姿勢をよくしても、誠実さも清潔感もまったく感じられません」

「人の話を聞いている姿というのも見られている」と思っておいたほうがいいでしょう。自分では見られていないと思うときにこそ、「素の自分」が出ているものです。

ぜひ、あなたが話しているときの様子を録画して、その映像を見てみてください。その映像に現れているあなたが、他人の目から見られている自分です。慣れないうちは直視できないかもしれませんが、これは何度も見て慣れるしかありません。

まとめ

自分が話すときだけでなく、他人の話を聞くときも「姿勢がいい人」はまわりから好意的なイメージを持たれる。

「見られていない」と思っているときに「素の自分」が出ている

「心揺るがす日本講演新聞」の編集長、水谷もりひとさんから、ミス・インターナショナル日本大会の審査員をしている人の審査基準を教えていただいたときのことです。

その大会に出場する女性たちは、みんな美しく、体型も笑顔も品性も差がほとんどない中で、ある場面で大きな違いが現れるというのです。それは審査員の前に出て、パフォーマンスをしているときではなく、自分の出番が終わって、後ろの席に座っているときの仕草や姿勢に差が出るのだそうです。

審査員の前では、審査に通るために作った自分を見せているけれども、見られていないと思っているときに、「素の自分」が出ている。じつはそこを見ているというのです。

誰も見ていないところでも、日常の中でも自然と誰かから見られているかのように振る

舞えるか。それができている人は、誰も見ていないひとりのときでも、いい姿勢、いい笑顔、いい仕草をします。

じつは言葉はほとんど相手の心に残らない

本書で伝えていることを全否定するかもしれませんが、自己紹介で話す内容は、どんなに素晴らしいものであったとしても、そのほとんどは相手の頭の中には残っていません。

相手の心に残るのは、自己紹介の内容以上に、自然な笑顔であったり、丁寧なお辞儀であったり、ちょっとした仕草や気配りだったりするのです。

もちろん、その状態は一朝一夕でできるものではありません。日々、努力が必要になります。

が、しかしです。「努力が必要になる」と言ってしまったら、いつできるようになるのかがわかりませんし、なかなか継続もできません。これまでの長い人生で培ってきたクセは、そう簡単には改善できません。

そう簡単には改善できないのですが、相手に好印象を与える姿勢や仕草は、自己紹介を話しはじめる前に、次の項で紹介するたった「3つのこと」を実践していただければ、すぐにできることでもあります。

もちろん、自己紹介の場面だけでなく、日々の日常の中で意識して実践していくことによって、だんだんと無意識でもできるようになっていきます。

まとめ

誰も見ていないところでも、いい姿勢、いい笑顔、いい仕草ができるように常日頃から心がけよう。

自己紹介の前にやっておきたい3つのこと

自己紹介の前にやっておきたい3つのことはこちらです。

- **直首（ちょくしゅ）**
- **開胸（かいきょう）**
- **礼（れい）**

直首とは、首をまっすぐにすること。開胸とは、胸を開くこと。首をまっすぐにして、胸を開いた状態で姿勢を作り、この状態で礼を行います。

スマホやデスクワークの影響で、ほとんどの人の首が前に出てしまっています。首が前に出てしまうので、必然的に首の上にある頭も前に出てきます。首から上だけでも、相当な重さがあるので、その重さに耐えきれずに、バランスをとるために猫背になっている人が多いのです。

だからこそ、姿勢をよくするだけでもほかの人と違う印象を与えることができます。

まず、頭のてっぺんから天井に引っ張られている状態をイメージしてください。そして、首をまっすぐにして、胸を開いた状態を作ります。すると自然と姿勢はよくなります。

その姿勢の状態をキープしたまま、お尻を引きます。そして、礼をしてから話しはじめます。ポイントは、「その姿勢の状態をキープしたまま」です。礼をする際に、首だけ下げるような礼をする人が多いのですが、それでは、姿勢が崩れてしまって、逆に相手に不格好な印象を与えてしまいます。

ゆっくりした丁寧な礼は最強の武器である

この「直首・開胸・礼」の一連の動作を実際にやっていただくとわかりますが、動作が非常にゆっくりになります。そのゆっくりな動作が丁寧という印象を相手に与えることができますし、余裕とゆとりを持って話しはじめることができます。

▼「直首、開胸、礼」からはじめる話し方

① 直首

頭のてっぺんから天井に引っ張られている
状態をイメージして立つ。

② 開胸

首をまっすぐにして、
胸を開いた状態を作る。

③ 礼

②の姿勢の状態をキープしたまま
35 度くらいの角度を意識して、
ゆっくり礼をする。

④ 話す

③の状態を戻し、話しはじめる。

多くの人が自己紹介をするシーンを思い出してみてください。おそらく、ゆっくり丁寧な動作で礼をしてから話しはじめる人は、ほとんどいないと思います。私はこれまで数千人の自己紹介を添削してきましたが、ほとんどの方は礼をすることなく、話しはじめてしまいます。

だからこそ、**ゆっくりと丁寧な礼をすることによって、ほかの人との差別化ができるのです。**もちろん、「そんな礼なんてしないでとっとと話せ」という顔をする人もたまにいます。丁寧な礼をすることに対してイラ立つような人は、普段の生活でも自分の思い通りにならないとイラ立つような性格の持ち主ですし、一緒にいても振りまわしてきます。そんな人を引き寄せないためにも、話しはじめる前には、ゆっくりと丁寧な礼をしてみてください。

まとめ

首をまっすぐにして、胸を開いた状態で姿勢を作り、ゆっくりと丁寧に礼をすることであなたは別格になる。

礼（禮）にはじまり、礼（禮）に終わる

自己紹介を伝える場面は時と場所に応じてさまざまですが、意識しておいていただきたいのは、「礼（禮）にはじまり、礼（禮）に終わる」という古くから言い伝えられている言葉です。これをどの場面でも実践していただくことで、あなたは好印象を与えられます。

礼については過去の偉人も非常に重視していました。

たとえば、昭和の時代に多くの首相を指導した安岡正篤（やすおかまさひろ）先生は、次のようにおっしゃっています。

「本当の人間尊重は礼をすることだ。お互いに礼をする、すべてはそこからはじまらなければならない」

「経営の神様」といわれた松下幸之助先生は、こうおっしゃっています。

「世界中すべての国民や民族が言葉は違うが、みな同じように礼を言い、あいさつすることを人間としての自然の姿、すなわち『人の道』である」

日本特有の文化「礼」は世界から注目されている

礼は日本文化の象徴にもなっています。とくにスポーツの世界において、日本に限らず世界の大会でも礼を目にする機会が増えているように感じます。

2019年に行われたラグビーワールドカップでも、象徴的な出来事がありました。ダントツの優勝候補だったニュージーランド代表が、初戦が終わったあとに、スタンドを埋め尽くしてくれた日本のファンに向かって礼をしてくれました。主将を務めていたキアラン・リードはこのように言いました。

「できるだけ日本のみなさんとつながりたい。私たちを愛してくださっていた。今日も素晴らしかった。オールブラックスのジャージを着てくださっていた方もたくさんいた。そういう思いには応えたいと思いました」

このニュージーランド代表の「礼」は大会全体にもよい影響を及ぼし、イタリア、サモア、ナミビア、ウェールズ、アイルランドも、試合後には勝敗関係なしにファンに礼をしていました。言葉は通じないけれども、礼だけで人と人とのつながりを作ることができるのです。まさに松下幸之助先生がおっしゃっていたことが、ピッチ上で体現されていたのです。

また、ラグビーワールドカップと同時期に行われていた、女子バレーボールのワールドカップでも、日本の選手たちがコートの入退場時に丁寧な礼を行っていることが話題になりました。

では、礼をなぜ行うのか、礼を行うとどんなことが起こるのか。それを次項でお伝えします。

まとめ

「礼（禮）にはじまり、礼（禮）に終わる」を素直に実践するだけで、好印象を持たれる人になれる。

なぜ、礼を行っているのか？

礼についてさらに話を深めていきます。礼だけでも1冊の本が書けるほどの内容がありますが、ここでは重要な部分を圧縮してお伝えします。この礼についての知識があることで、丁寧さ、繊細度も変わり、礼がカラダにもたらす効果は大きくなります。

礼はもともと、「禮」という字を使っていました。この漢字のツクリにある「豊」は、ここでは「豊かさ」などと使われる「豊」とは別の意味で、「神様へのお供え物を盛った器」の形を表現しています。ヘンの「示」は、神様へのお祈りに使う神聖な台を表しています。

この2つの文字を組み合わせた「禮」という漢字は、「神聖な儀礼」を執り行っている情景を表しているのです（なお、本書では読みやすさを優先して新字体の「礼」で表記します）。

私たちは日常の中で礼をたくさんやっていますが、神聖な儀礼という意識でやられている方は神職でもない限り、いらっしゃらないと思います。

学生時代の授業がはじまる前を思い出してください。

「起立・気をつけ・礼！」

この号令に基づいて、何度も何度も礼をやったと思います。しかし、どの先生からも、なぜ「礼を行うのか」については、教えてもらってはいないのではないでしょうか？

私は、休み時間と授業開始の切り替えの儀式くらいの意味しかないと思っていて、適当に頭を下げる程度の礼しかやっていませんでした。

そんな礼に対する認識が変わったのは、２０１７年の夏でした。第2章にも登場していただいたレノンリーさんに、礼に隠された秘密を教えていただく機会がありました。今では礼をすることで、カラダが変化するのを体感し、それ以降、毎日欠かせない習慣として礼を行っています。これは私だけではなく、礼によるカラダの変化を体感していただいたほとんどの方が、習慣化されています。次のワークをやってみてください。

礼によるカラダの変化を体感するワーク

礼によるカラダの変化を体感するためのワークを紹介します。2人1組で行ってください。

1. 礼を行う前に、立ち腕相撲を行います。

カラダの変化を確認するために、礼をする前のお互いのカラダの状態を確認します。注意点としては、力まかせにやらないことです。力まかせの勝負をしてしまっては、カラダの状態の変化がわかりにくくなってしまいます。

手を組んだらゆっくりと「1、2、3」とお互い力を入れていきます。相手の力の状態を感じながら立ち腕相撲を行います。ある程度の力が入ってくると、勝ち負けが決まります。勝った人をAさん、負けた人をBさんとします。

2. 負けたBさんが礼を5秒間行います。

負けたBさんが、勝ったAさんのカラダの中心に向かって礼を5秒間行います。

このときの礼は、直首・開胸をした状態で行います。

3. もう一度、立ち腕相撲を行います。

1と同じようにゆっくりと立ち腕相撲を行います。正しい礼ができていればBさんは力を入れることもなく、そして、手応えも感じることなく、簡単にAさんに勝つことができます。

2と3が終わったら、役割を交代してAさんがBさんに礼をして、立ち腕相撲を行います。すると、再びAさんの力が強くなります。

〈注意点〉

男女でやる場合など、筋力に圧倒的な差がある場合は、劣っている側が「勝てない……」という思い込みを持っていることがあります。そのような場合は、このワークのような結果は出ません（勝てないと思った時点で筋力勝負をしかけているので、勝てません）。なので、筋力差が大きい場合には、礼をする前の力の入れ具合と比較してください。たとえば、礼をやる前は、2の力で負けていたけれども、礼を行ったあとには、3以上で負けたとなったとしたら、それは効果が出ています。

礼により「人間本来の自然で平穏な状態」を取り戻す

ワークを実際にやっていただけるとわかりますが、礼をするだけでカラダの状態が変わります。私はこの状態を「ニュートラル状態」と呼んでいます。

礼は「れい」と呼ぶわけですが、日本語は同じ発音の言葉に違う意味を持たせることができます。「霊」もれいと読みますし、「零」もれいと読みます。零の持つ意味は「0（ゼロ）」です。礼をすることによって、カラダの状態がゼロ、つまり、ニュートラルに整うのです。

ニュートラルというのは、人間本来の自然で平穏な状態、元の気（＝元気）に戻った状態とも言い換えられます。**自然な状態なので、礼を行う前に持っていた自分のエゴも緊張もすべてクリーンにされるのです。**

イライラしたり、忙しさを感じたり、緊張したりしていると、その様子は姿勢や表情に現れてきます。それらが礼をすることによってクリアリングされて、ひとりひとりにとっての自然な姿勢や表情を作ってくれるのです。

もし、学生時代にこれを知っていたら、学校の授業の前に正しい形で「起立・気をつけ・

礼！」を行い、ニュートラルな状態で授業を受けることができたことでしょう。余計なことを考えず、落ち着いた状態で目の前の授業を受けられるので、集中力も上がり、学んでいる内容の吸収度も大幅にアップしたはずです。

次に紹介するのは、「いい加減な礼」と「心を込めた正しい礼」との違いを実感していただくためのワークです。

いい加減な礼と正しい礼の違いを体感するためのワーク

礼の正しい形を知識として持っておらず、以前の私のように、いい加減に礼をやっているだけでは、その効果は現れません。

いい加減な礼と正しい礼でカラダがどう変化するのか。これもぜひ体感していただきたいので、ワークを紹介しておきます。

1. 礼を行う前に、立ち腕相撲を行います

これは先述の通りです。勝ったほうをAさん、負けたほうをBさんとします。

2. Aさんはいい加減な礼、Bさんは正しい礼をしてから立ち腕相撲をします

Aさんはちょこんと首だけ曲げるようないい加減な礼をして、一方のBさんは、直首・開胸の状態で礼を丁寧に行います。ここの「丁寧に」は5秒間の礼です。

お互いが礼を終えたあとに、立ち腕相撲をしてみてください。すると、Bさんが勝ちます（ただし、先に紹介したワークと同様に、筋力差が大きい場合には、Bさんが勝てないこともあります。大事なポイントは正しい礼を行ったBさんにカラダの変化があった、ということをもう一方のAさんが認識するということです）。

3. Aさんは正しい礼、Bさんは適当な礼をしてから立ち腕相撲をします

適当な礼と正しい礼を入れ替えてやってみます。2で勝てなかったAさんが簡単に勝ちます。

私は講演会やワークショップで、この礼のワークを実際に体験していただいていますが、受講者の多くは、あまりの大きな変化の違いにびっくりしています。やる前には「気持ちを込めて礼をやったところで……」と思われている方がほとんどなので、その衝撃も大きいです。私も2017年の夏にはじめて体験したときは、同じ感想を持ちました。

まとめ

正しく礼をすることで、カラダが本来の自然で平穏な状態（＝ニュートラル）がよみがえる。

緊張せずに話ができる

礼には緊張緩和の効果もあります。

私のワークショップでは、「自己紹介の場をはじめ、人前で話すとどうしても緊張してしまう……」という悩みをお持ちの方が多数ご参加くださいます。その方々には、「どうやったら緊張せずに話ができるようになるのか」という〝考え方〟を提供するのではなく、前に出てきて実践していただきます。

その実践とは、正しい礼をやらずにお話ししてもらうパターンと、正しい礼をやっていただいたあとにお話ししてもらうパターンの、両方を体験してもらうことです。

緊張することで悩んでいる人ほど、正しい礼をやらずにお話をされるので、当然、緊張した状態でお話をされていて、どこかぎこちないです。さらに悪いことに、その緊張は、ほかの自己紹介を苦手にしている参加者にも伝わってしまって、部屋全体も緊張感が漂う空気になってしまいます。

一方、**正しい礼をやっていただいたあとにお話をしてもらうと、緊張が抜けた状態になり、自然な姿勢と表情でお話をされます。聞き手もその話し手の自然な状態に安心し、部屋全体も安心した空気が漂います。**

自己紹介のときも、話しはじめる前には、「伝わるかな、どう思われるかな……」と、ベクトルが自分に向いていた状態が、礼をすることによってニュートラルな状態になり、何も考えずに、自然体で自分を出して話すことができるのです。

まとめ

正しい礼をすることで緊張が抜けた状態になり、自然な姿勢と表情で話すことができ、聞き手も安心する。

礼は相手を尊重している意志表示になる

人から「感謝しています」と言われたものの、「ホントかな……」と思ってしまった経験をしたことはありませんか？　人は表面上に出てくる言葉の意味ではなく、その裏にある何かまで察知しているというわけです。いくら美辞麗句を並べたとしても、言葉だけでは残念ながら人を動かすことはできません。美辞麗句を並べば並べるほど「怪しい……」と思われてしまう、残念な人もいらっしゃいます。

言葉は嘘をつけるけれども、行動は嘘をつけません。行動というのは、無意識にやっている仕草も含まれます。

たとえば、「どんなピンチになっても落ち着いて対処できます」と言っていた人が、いざ本当にピンチに陥ったら貧乏ゆすりでイライラ、表情にも余裕のなさが出ていたとしたら、とても落ち着いて対処できるようには思えないですよね。

松下幸之助先生は礼の達人だった！

相手のことを「尊重している」という意志表示は、「礼」を丁寧に行うことでできます。

雑誌『ＰＨＰ』２０１６年４月号に、松下幸之助先生の礼についてのあるエピソードが書かれていました。

松下電器の取引先に勤めていた人が、松下幸之助先生とはじめて挨拶を交わしたときのことを、次のように振り返っています。当時、その人は平社員、幸之助先生はすでに〝経営の神様〟として盛名を馳せていたといいます。

お辞儀をしたとき、いつもよりは丁重な礼をしたつもりであったが、頭を上げかかると、深々とお辞儀をしておられる幸之助氏の後頭部が目の前に見える。あわてて頭を下げ直した。幸之助氏が頭を上げたら自分も上げようと息をこらしていたのだが、なかなか頭を上げられない。冷や汗が流れた。数十秒、あるいはもっと短い時間かもしれないが、無限に続くような忘れられない時間だった。

「実るほど頭（こうべ）を垂れる稲穂かな」という言葉をまさに体現されていたエピソードです。大企業のトップになったから、礼をしていたというわけではなく、松下幸之助先生はそれこそ丁稚奉公の小さな頃から礼を通じて、人を尊重されてきたのでしょう。

自己紹介の前に礼を行うのは、目の前にいる相手を尊重しているという意志表示になります。逆に、礼もなく話しはじめるというのは、目の前にいる相手が目に入っておらず、**「なんとかして与えられた時間で、自分の伝えたいことを伝えよう」というベクトルが自分に向いている状態です。**聞き手はその自分勝手さを何となく態度から受け取ってしまい、「素晴らしいことを言っているんだけど……何か引っかかるなあ……」と、その言葉を素直に受け取ることができないのです。

まとめ

丁寧に礼をすることで、相手を尊重していることが伝わり、話の内容もしっかりと伝わるようになる。

名前を言うだけでカラダの状態が変わる

ここでまた自己紹介の伝え方に戻ります。

礼を終えて、カラダを戻したら、まず発していただきたい言葉が「氏名」、つまり「名前」です。

この「名前を言う」という行動にも、カラダのＤＮＡや細胞を活性化させ、カラダの機能を高める働きがあります。

それを体感していただくワークを２つ紹介します。１つは先ほども紹介した立ち腕相撲のワーク。もう１つは側推法と呼ばれる、カラダを横から押して確認するワークです。

立ち腕相撲ワーク

1. AさんとBさんで立ち腕相撲をします。

手を組んだらゆっくりと「1、2、3」とお互い力を入れていきます。相手の力の状態を感じながら立ち腕相撲を行います。ある程度の力が入ってくると、勝ち負けが決まります。勝った人をAさん、負けた人をBさんとします。

2. Bさんがフルネームで名前を言ってから、再び立ち腕相撲をします。

Bさんは「私の名前は◯◯（フルネーム）です」と、ご自身の名前を言ってから、1と同じように立ち腕相撲を行います。礼を行った直後よりもわかりづらいかもしれませんが、Bさんの力が強くなります。

3. Aさんが氏名を言ってから、再び立ち腕相撲をします。

Bさんの力の変化を感じられたら、次はAさんが「私の名前は□□（フルネーム）です」と、ご自身の氏名を言ってから、立ち腕相撲を行います。再びAさんのほうが強くなります。

側推法ワーク

1. Aさんはまっすぐに立ち、Bさんが横から指で押します。

Aさんは「肩幅に足を広げて」「力を抜いて」「まっすぐに立ちます」。Bさんは Aさんを横から1本、2本、3本……と、徐々に力を強めて、何本の指で押したらカラダが揺らぐのかを確認します。

2. BさんはAさんに名前を聞きます。

3. BさんはAさんに質問をし、Aさんは「はい」と答えます。

「あなたのお名前は○○(フルネーム)さんですか?」

4. Bさんが再びAさんを横から指で押します。

Aさんが「はい」と答えてくださったら、Bさんは横から指で押します。ほとんど動かないことにびっくりされると思います。

5. Bさんは Aさんに違う名前を質問し、Aさんは「はい」と答えます。

たとえば、「あなたは山田太郎さんですか?」と、質問します。

6. Bさんは再びAさんを押します。

すると、4の場合と違って、Aさんがすぐに動いてしまうことにびっくりされると思います。

これは、潜在意識からの筋肉の生体反応機能を使っています。潜在意識は、聞かれたこと（この場合は「名前」）が真実だと判断したときや、安全だと判断したときには、カラダの機能を高める性質を持っています。

つまり、ストレスがない状態なので、脳からカラダの各所に送られる信号が、滞りなく到達し、機能が高くなっているわけです。逆に「聞かれたことが真実ではない」と、カラダが判断したときや、危険だと判断すると、ストレス反応から機能が低くなります。

「なぜ、自己紹介の伝え方の本で体感ワークをやらないといけないんだ……」などと、もしかしたら思われているかもしれません。それはこのワークを通じて、名前を言った瞬間にカラダの機能が高まる体験をしていただきたいからです。

「百聞は一見にしかず、百見は一体験にしかず」です。

ぜひ、名前を口に出すことによるカラダの変化を体感してください。

まとめ

「名前を言う」という行動には、カラダのDNAや細胞を活性化させ、カラダの機能を高める働きがある。

短時間で即効性のある「ネーミングストーリー」

これから紹介する「ネーミングストーリー」は、第2章でもご登場いただいた経営コンサルタントの小田真嘉さんに教えていただいたものです。小田さんが営業マンの研修を行っていた際に、このネーミングストーリーのワークを受けた営業マンが、次々に成果を出していったそうです。

これから作る「ネーミングストーリー」は、これから先、一生思い続けてもいいですし、そのときの状況に応じてバージョンアップさせてもいいです。

それでは、さっそくネーミングストーリーを作っていきましょう。作成手順は次の通りになります。

1. 名前を一文字ずつ辞書で調べてみます。漢字のままでもいいですし、ひらがなに分解してもいいです。

2. その字を使う単語や類語を探してみます。ひらがなに分解した場合は、『名言なぞり書き50音セラピー』（ひすいこたろう、山下弘司／世界文化社）という本で、一音一音の言霊を調べてみることをおすすめします。

3. その字を分解してキーワードを出してみます。

4. 一文字ずつ、出てきたキーワードや、それから連想されるイメージを書き出します。

5. 最初は無理矢理つなげて大丈夫です。何度も手入れをして、気に入るように形を整えてください。

たとえば、私の場合は次のようになります。

横……横並び、横柄、横穴式、横一列、横置き
川……流れ、川、キレイにする、水、流す
裕……裕福な、余裕の、豊かな
之……道、行く

これをまとめると、**「人の可能性は平等で横並び、という流れを作り、豊かな道へと導く」**となります。

ネーミングストーリーは仲間とやると効果がアップ！

このワークは自分ひとりでやってもいいのですが、できたら2人以上でお互いのネーミングストーリー作りをされるといいでしょう。なぜなら、自分でやるとこれまでの自分のセルフイメージでとどまってしまうからです。

他人の力を借りて、自分にはない発想を採り入れて、自分の枠を広げるのです。実際に、私が6人のグループワークで作成したネーミングストーリーは次のようになりました。

「横川」というのは、世界史に出てくる四大文明のように、川の横に人が集まって、文明や文化を作っている状態。
「裕」は、豊かという意味。
「之」は、道を作る、一歩踏み出すという意味。

これを組み合わせて、人が集まって文化を作り、その人たちを豊かな人生へ導くという意味に捉えています。

「人が集まって文化を作る」というのは、コミュニティのことです。「そのコミュニティのリーダーとして、かかわる人を豊かに導く使命を帯びている」というネーミングストーリーを、この本を書いている時点で使っています。

短時間で即効性のあるワークですので、ぜひ取り組んでみてください。

まとめ

ネーミングストーリーをすることで、自己肯定感が高まるとともに、自分の使命にも気づくことができる。

「よろしくお願いします」に隠された意味

次は「よろしくお願いします」がもたらす効果をお伝えします。

文書での伝達でも口頭での伝達でも、多くの人が締めのひと言に、「よろしくお願いします」を持ってきます。

前著を出した頃の私は『「よろしくお願いします」なんて言わなくていいです』と言っていました。なぜなら、「よろしくお願いします」で締められても、聞き手はどう行動をとっていいのかわからないからです。

しかし、この言葉は締めに使うものではなく、**「よろしくお願いします」とは、自分を委ねることを宣言する言葉です。**礼と同時にレノンリーさんに教えていただきました。

さっそく立ち相撲ワークで体感してみましょう。

「よろしくお願いします」を体感するワーク

1. AさんとBさんで立ち腕相撲をします。

手を組んだらゆっくりと「1、2、3」とお互い力を入れていきます。勝った人をAさん、負けた人をBさんとします。Aさんはその勝った時点での力の入れ具合を覚えておいてください。

2. Bさんは「よろしくお願いします」を言ってから、再び立ち腕相撲をします。

立ち腕相撲の形を作った状態で、Bさんは「よろしくお願いします」を言って、1と同じように立ち腕相撲を行います。AさんはBさんの力がどう変化したのかを伝えてください。

このワークもたくさんの方々に試していただいておりますが、全員が「強くなった」と体感しています。また、これからお伝えする知識を持った状態で、同じワークをするとさらにカラダのパワーが上がります。

まとめ

「よろしくお願いします」は、締めに使うのではなく、相手や自分の心を「開く」ために使う言葉。

視線はどこに向ければいいのか？

「よろしくお願いします」のあとは、第3章で作った自己紹介を堂々と話してください。
これは自己紹介に限ったことではありませんが、私がよくご相談をいただくのは、「人前に立ったときにどこを見て話していいのかわからない」というものです。おそらく根底には、「誰も聞いてくれていないんじゃないか……」という不安があるわけですが、自分を見てうなずいてくれている人、笑顔を見せてくれている人に、視線を向けるのです。

「姿勢・礼・名前・よろしくお願いします」の丁寧な動作で作った空気を感じて、あなたを注視しているはずですので、その注視してくれる人に向かって話したらいいのです。

「誰もこっちを向いてくれてなかったら、どうしたらいいんですか？」という疑問も持たれるかもしれません。顔はこちらを向いてくれなかったとしても、横目で見ているものにです。

「横目で見ている」と言われても、反応がないと寂しいですよね。そんなときは右奥、左奥と、できるだけ遠くを見ながら話すようにしてください。それによって、先ほどの「0」で作った直首・開胸の姿勢をキープすることができて、聞き手からは自信を持って話しているように見えますし、話しているこちら側も「聞いてくれていない……」と、動揺することがありません。

自己紹介を話したあとは、「横川裕之でした。ありがとうございました」と再び名前とお礼を言い、礼をして終了です（時間に余裕がないのであれば、名前とお礼は言わなくても大丈夫です）。

まとめ

「姿勢・礼・名前・よろしくお願いします」がきちんとできていれば、必ず誰かが聞いてくれている。

「一目置かれる自己紹介」のフォーマット

ここまでのまとめとして、「一目置かれる自己紹介」の伝え方を紹介します。内容以上に印象に残ることを重視しており、万が一、自己紹介の内容をド忘れして、「名前＋よろしくお願いします」しか伝えられなかったとしても、その自己紹介を聞いていた人たちから名刺交換を求められる可能性が高くなるはずです。伝え方のフォーマットは次の通りです。

0. 姿勢を正して笑顔を作る
1. 礼
2. 名前
3. よろしくお願いします
4. 3章で作った自己紹介

5. 再び、名前（省略可）
6. ありがとうございました
7. 礼

「礼」+「名前」+「よろしくお願いします」のすごいパワー

「礼」と「名前」と「よろしくお願いします」。この3つにこめられているものを知るだけで、自己紹介は大きく変わります。「知は力なり」で、これらの知識を持っておくことが、あなたのパワーに変わるのです。

まとめ

「礼」＋「名前」＋「よろしくお願いします」をできるだけで、一目置かれる人になる。

不安を打ち消してはいけない

ここまでいろいろとお伝えしてきましたが、ワークショップでは「集団の前に出て話しても、本当に自分の自己紹介を聞いてもらえるかどうか……」と、それでも不安になる人もいました。

こんな場面をイメージしてください。

あなたはレストランで開催されている交流会に参加しています。人数は30名ほどで、レストランは貸し切りで、ほかのお客さまはいません。男女比はほぼ1：1、そこにいる方々がどんなお仕事をされているのかは、自己紹介を聞いてみるまではわからない状況です。その交流会の冒頭の主催者あいさつが終わった直後です。「さっそくですが、これからおひとりおひとりに自己紹介をしていただきます」と告げられました。

そんな展開になったとたん、「たくさんの人がいる中で、自分の話を聞いてもらえるのだろうか……」と、こんな不安が出てくると思います。

結論から言うと、不安になっていいのです。「不安を見せたら、相手に信頼されないんじゃないか……」という思い込みがあるかもしれません。不安が出てくると、多くの人はなんとかその不安を打ち消そうとしがちです。

不安を持ってしまうのも、あなたの個性の一部です。それを無理矢理に隠そうとするから、違和感がにじみ出てきてしまって、聞き手にとってはいいところを見せようとする見栄張りに思えるのです。

「じゃあ、どうしたらいいのか?」、こう思われるのもごもっともで、次の項で詳しくお伝えします。

まとめ

不安を打ち消そうとするよりも、「不安になるのは自分の個性である」と開き直ってしまうほうがよい。

自己紹介の不安はルーティーンで対処できる

かつてメジャーリーガーとして大活躍したイチローさんが打席に入ったとき、ラグビーの五郎丸歩選手がキックを蹴るときに、必ず行う動作があります。この動作は「ルーティーン」と呼ばれています。

ルーティーンとは、望ましい動作をするために行う習慣や行動のことです。スポーツにおいては、試合でパフォーマンスを行う前に取り入れられることが多いです。

たとえば、イチローさんであれば、打席に入ると右手でバットを持ちながら、その手を前に伸ばし、左手で右の肩にかかった袖の部分を軽くなぞります。

五郎丸選手はボールを2回まわしてセットし、3歩後ろに下がって、2歩左にずれます。そして、右手でボールを斬るような仕草を見せたあとに、両手を合わせて、一定時間ゴール方向を見つめて、8歩目のステップで蹴ります。

このルーティーンの効果はいくつもあるのですが、その効果の1つに、「メンタルの安定」があります。

スポーツをやっていた人であれば、ご自身の体験でわかるかもしれませんが、練習中に味わったことがない緊張を試合で実感すると、カラダがうまく動かなくなり、練習でできていたことが、試合になると急にできなくなります。

これは、スポーツ心理学用語では「チョーキング」と呼ばれる現象で、プレッシャーやほかの要素に心が動揺してしまって、精神的に不安定な状態に陥ってしまうのです。数々の大舞台を経験してきた彼らであっても、そんな状態に陥る可能性があるのです。

それを防ぐために導入されているのがルーティーンです。

不安に対するルーティーンとしての礼

鋭いあなたはもうお気づきかと思います。そう、本書でお伝えしている自己紹介のフォーマットは、不安に対処するためのルーティーンになっているのです。

礼のところでお伝えしましたが、「礼は零＝０（ゼロ）」です。**正しい礼ができていれば、内側に抱えている不安も0になるのです。**０の状態というのは、自然な状態です。つまり、あなたは自然な状態で人前に立つことができるのです。

とはいえ、プロスポーツ選手が練習してルーティーンにしたように、あなたも礼をルーティーンにするためには、練習が必要になります。

「一目置かれる自己紹介」のフォーマットの０〜３を毎日練習してみてください。かかる時間はわずか５秒です。その５秒の習慣で、人前で自然な状態で話せるようになります。「ルーティン」と「不安になっていいという開き直り」が、じつは不安と仲良くする最強の方法でもあるのです。

まとめ

礼を「メンタルの安定」のためのルーティーンにする練習を続けることで、人前で自然な状態で話せるようになる。

自己紹介を聞いてもらえる2つの秘訣

最後に、自己紹介を聞いてもらうために、私がやっている工夫を2つご紹介します。それらはメソッドというほどではないのですが、「先手必勝」と「後手必勝」というものです。

まず「先手必勝」ですが、これは「いの一番に自己紹介をする」ことです。みんな最初にやることをイヤがります。人のイヤがるところにチャンスありです。集団で自己紹介を行う場合は、**最初の自己紹介が、その場の流れを決めます。みんなどんな流れになるのかを注目していますので、ほぼ聞いてくれます。**

これが2番目以降になるとどうなるかというと、ほとんどの人が即興で頭をフル回転させて、自らの自己紹介を作りはじめるので、まともに人の話を聞いてはいません。なんとなく横目で見て、何か感じたらその人の方向を見て、自己紹介を聞くという感じになっています。

もう1つの「後手必勝」は、聞いていない人がほとんどの状況だからこそ、逆に真剣に聞くのです。**座りながらでも直首・開胸で姿勢を正し、相手の顔を見て、相手の言葉にうなずきやアクションを起こす。**自己紹介が終わった人は、頭を自らの自己紹介のことから解放していますし、返報性の法則で、「聞いてくれた人の自己紹介は聞かないといけないいな」と思ってくれています。

「後手必勝」を実践すると名刺交換の直後に、「あんなに真剣に聞いてくれて安心しました」という言葉を多数いただきます。

まとめ

自己紹介を聞いてもらうためには「先手必勝」と「後手必勝」の2つの方法があるが、いずれも姿勢が重要。

おわりでない「おわりに」

本書で何度かお伝えしてきたように、人類誕生以来、あなたと同じ人生を歩んでいる人はひとりもいません。あなたと同じ役割を担える人は、あとにも先にも現れません。私たちは、歴史という大きな観点で見たら、ひとりひとりが決してほかに替えのきかない存在なのです。

つまり、この世に生を受けた誰もが、自分にしかない役割を持っています。では、その役割は何なのか？　それがわからなくて苦しんでいる人に、たくさん出会ってきました。役割がわからないから、自己紹介で何を話していいかわからない……となっていたのです。もしかしたら、あなたもそのひとりだったのかもしれません。

1つ確信して言えることは、今あなたの目の前にあることが、今のあなたの役割です。目の前にあることを自分にしかない役割だと思えない人ほど、「どこかに本当の役割があるんじゃないか」と探し続けてしまいます。本当の役割が目の前にあるにもかかわらず、それにはまったく気づかずに。

でも、役割探しの旅にもう出る必要はありません。地に足をつけて、目の前にあることを、目の前のできることを自分の役割だと確信してください。その自分にしかない才能を通して、あなたにかかわる人たちの未来をどう変えていくのか、それを自分と向き合って考えて言葉にして、人前で表現するのが自己紹介です。

本書はここで終わりますが、自己紹介を作るという一歩を踏み出すあなたにとっては、スタートでもあります。また私自身も、もっともっと学んで成長していきます。「完全版」と銘打っていますが、それは執筆時点でのこと。あなたがここを読んでいるその瞬間、私は執筆時点と変わっておりますので、永遠に完全になることはありません。その意味で〝おわりでない「おわりに」〟なのです。

考え方やノウハウは、パソコンやスマホのOSのように日々アップデートさせていきますので、私のメルマガにご登録いただいて、最新の情報を受け取ってください。ご登録いただくと、第2章でご紹介したあなたの資質がわかるエニアグラム診断（1万円相当）や、書きすぎて本書からカットされた原稿もプレゼントさせていただきます。

ご登録はこちらです。

https://hiroyuki.top/cyfons/cf/shoukai

最後までお読みいただき、ありがとうございました。いつかあなたの作った自己紹介を聞かせていただける日を楽しみにしております。

令和2年1月吉日

横川裕之

◉参考文献・参考動画

『人も仕事もお金も引き寄せる　すごい自己紹介』（横川裕之／泰文堂）
『人生を大きく飛躍させる　成功ワーク』（レノンリー／つた書房）
『一流の達成力』（原田隆史、柴山健太郎／フォレスト出版）
ニコニコ動画「メンタリストDaiGoの心理分析してみた！」

横川裕之（よこかわ ひろゆき）

自立型人材育成コンサルタント／自己紹介の専門家。1979年新潟県生まれ。小学校から現在まで東京ですごす。早稲田大学卒業後、一部上場ICT企業、外資系生命保険会社を経て現職。3000人以上の自己紹介を聞いた直後に添削してきた自己紹介の専門家。幼少の頃から、自己紹介で誰からも興味を持たれない惨めさから苦手意識を抱く。そのコンプレックスを克服すべく一念発起し、主宰していた「日本一のランチ会」に集まる参加者の自己紹介を研究した結果、参加者の方々に共通する「自己紹介の法則」を発見し、添削を通じて独自の「18秒自己紹介理論」を構築。初対面の自己紹介だけで信頼関係が構築され、着任初日の教師や転勤者がすぐに職場になじんだり、就職・転職活動者が第一希望の会社に入社できたりするなど、喜びの声をたくさんいただく。また、口ベタ、人見知り、自信がない経営者や営業マンの売上、紹介率が飛躍的にアップし、次々と成果につながっている。志は「ひとりひとりが大切な人を幸せに導く世の中を創る」。

ブログ　http://yokokawahiroyuki.com/
Facebook　https://www.facebook.com/hiroyokko
Twitter　https://twitter.com/hiroyokko

すごい自己紹介［完全版］

2020年2月20日　初版発行
2021年4月20日　第2刷発行

著　者　横川裕之
発行者　杉本淳一

発行所　株式会社日本実業出版社　東京都新宿区市谷本村町3-29　〒162-0845
大阪市北区西天満6-8-1　〒530-0047

編集部　☎03-3268-5651
営業部　☎03-3268-5161　振　替　00170-1-25349
https://www.njg.co.jp/

印刷／三省堂印刷　製本／若林製本

この本の内容についてのお問合せは、書面かFAX（03-3268-0832）にてお願い致します。
落丁・乱丁本は、送料小社負担にて、お取り替え致します。

ISBN 978-4-534-05764-8　Printed in JAPAN